HISTORIAS DE MUERTE Y CORRUPCIÓN

Julio Scherer García

HISTORIAS DE MUERTE Y CORRUPCIÓN

Calderón, Mouriño, Zambada, *El Chapo*,
La Reina del Pacífico...

Grijalbo

Historias de muerte y corrupción
Calderón, Mouriño, Zambada, *El Chapo, La Reina del Pacífico...*

Primera edición: febrero, 2011

D. R. © 2011, Julio Scherer García

D. R. © 2011, derechos de edición mundiales en lengua castellana:
Random House Mondadori, S. A. de C. V.
Av. Homero núm. 544, col. Chapultepec Morales,
Delegación Miguel Hidalgo, 11570, México, D. F.

www.rhmx.com.mx

Comentarios sobre la edición y el contenido de este libro a:
megustaleer@rhmx.com.mx

ISBN 978-607-310-415-9

Impreso en México / *Printed in Mexico*

1. En la entraña del narco

El momento era singular, reunido con *El Mayo* Zambada bajo la sombra densa de un cobertizo perdido en la montaña. Por medio de un emisario, el capo me había hecho saber que deseaba conocerme y la invitación cobraba forma un caluroso día de principios de marzo. Consideraba, simplemente, que en mis libros yo no mentía.

El emisario de Zambada había padecido durante treinta años la desventura de una cárcel de máxima seguridad, que él llamaba de exterminio. La zozobra había marcado sus días, puntual la vejación física y la ofensa verbal. Supo del encierro implacable frente al puño del poder y su consecuencia programada: debía participar en su propia degradación las veces que hiciera falta y hasta donde resultara necesario, incluida la esclavitud del sexo.

En los días que anduvimos juntos me contaba de qué manera buscaba la vida. En la cárcel, durante la semana hacía lagartijas y abdominales, giros de la cintura como si se tratara de quebrar el cuerpo, movimientos frenéticos del cuello, de lado a lado y de arriba abajo. Además, brincoteaba hasta que la respiración jadeante amagaba el corazón.

El domingo se reunía con su mujer y sus hijos. Cocinaban juntos y aprendían a quererse.

A bordo de una camioneta y acompañado de cuatro escoltas que me llevaban al refugio del capo, había sentido la opresión del monte hostil. La vegetación parecía sólida, era enmarañada y pensé que sólo se podría penetrar a punta de machetazos.

Avanzaba por una vereda polvosa y los guardaespaldas habían intentado una conversación imposible a partir de frases cargantes:

—Es un honor viajar con usted, un honor conocerlo.

—Muchas gracias.

—Un honor, don Julio.

No me sorprendió la obviedad. Presentaban al jefe, el ánimo con el que me aguardaba.

La crónica parcial del encuentro se difundió en *Proceso* el 4 de abril de 2010 y no tendría caso reproducirla, reciente como fue. Pero importa completar la historia de la que ese capítulo formó parte.

Ya para terminar la jornada, reclamé su conducta a *El Mayo* Zambada.

—Vine hasta acá para entrevistarlo. Soy periodista y su invitación para que nos reuniéramos fue para mí el claro indicio de su disposición para una conversación grabada. Si no, ¿a qué invitarme?

—Lo entiendo.

—¿Entonces?

—Nos juntaremos de nuevo.

—Llegaría con grabadora.

—De acuerdo.

—¿Cuándo?

—El 18 lo buscan.

—¿Seguro?

—Tiene mi palabra.

—Y la entrevista, ¿cuándo?

—El 20.

—¿El 20 de marzo?

—El 20.

Incrédulo, le clavé los ojos. Respondió, grave:

—¿Para qué mentirle? ¿Qué gano?

Acerca del encuentro insólito, conversábamos en estricto sigilo el director de *Proceso*, Rafael Rodríguez Castañeda, el subdirector, Salvador Corro, y yo. El asunto nos parecía delicado y aun riesgoso.

De llevarse a cabo la entrevista grabada, su publicación resultaría irritante para el gobierno y no se haría esperar una respuesta airada y múltiple. Ya escuchábamos las insinuaciones y acusaciones en contra nuestra, la insidia y la descalificación en la punta de flechas envenenadas. *Proceso* servía a los intereses del narco, nos dirían, y nada detendría a la revista en su propósito de sembrar la discordia en el país. No faltarían, por supuesto, los elogios al presidente.

Rafael no despegaba los ojos de la fotografía que le mostraba, en la montaña desconocida con la mano derecha del capo sobre mi hombro. Entusiasmado, su vocabulario era exultante.

—La foto vale lo que un reportaje —dijo Corro.

—No, mucho más —amplió Rodríguez Castañeda—: la foto es un suceso.

Enseguida, sin una palabra tomó la fotografía para sí y la guardó en el cajón central de su escritorio.

—Me la quedo —sonrió.

La impaciencia se me había vuelto obsesión, inminente y remoto el 18 de marzo. En algunos sueños me sentía grabando a Zambada y en otros daba por cierto que no lo vería más. Iba y regresaba mentalmente al cuestionario que preparaba para la eventual entrevista. Le preguntaría cómo se apoderaban los capos de las armas del Ejército, cómo lavaban dinero y cómo podían vivir con miles de muertos alrededor, su reacción frente a los periodistas asesinados, de qué manera habían infiltrado a instituciones y personajes de la vida pública y privada, qué es la fuga, qué es la ilegalidad, qué los amores clandestinos, cómo pactan, cómo se distancian y matan los capos entre sí, qué opinaba de la guerra, qué de Fox, qué de Calderón, qué de *El Chapo*, qué del futuro y del 2012 electoral, qué de tantos asuntos más.

Llegó el 18 y trajo para mí un estado de ánimo paralizante. La atmósfera política la enrarecían, además, versiones perturbadoras. Hillary Clinton viajaría a México al frente de un séquito notable, y J. Jesús Esquivel, corresponsal de *Proceso* en Washington, informaba a Rodríguez Castañeda que, de acuerdo con fuentes acreditadas, el presidente Calderón anunciaría la captura de un gran capo al arribo de la señora a nuestro país. Veo claro, me dije. El anuncio tendría que ver con la captura de *El Mayo* Zambada.

El 20 fue sábado y ese sábado, precisamente, tuve información del contacto. Seco, se atuvo a un lenguaje mínimo:

—Me dijo que ha llegado mucho gobierno por allá.

—¿Qué más? —exigí casi.

—Eso. Ha llegado mucho gobierno, me dijo.

—¿Sólo eso?

—Apenas duerme. Vive de pie.

—¿Teme su captura?

—¿Quién?

—Usted.

—Dios no lo quiera.

Invisible *El Mayo* Zambada, nos daríamos en *Proceso* un plazo de dos semanas antes de publicar la crónica del encuentro en la montaña. Los textos que valen la pena envejecen en unos días y no hay periodista que pueda retenerlos en su mesa de trabajo.

Listas las cuartillas, Rodríguez Castañeda opinó que la foto, desplegada, debería ir en la portada de la revista. Le dije que no, que bien podría ocupar un buen lugar en el interior del semanario y apelé a un largo modo de ser. Rafael se atrincheró en el mérito singular del documento y yo volví sobre mis pasos. Nos perdimos en un "sí" y un "no", circular. Al fin le dije: "Usted es el director".

De la conversación con el capo me habían llamado la atención las frases en las que consideraba perdida para el gobierno la lucha contra el narcotráfico. No olvidaría las palabras de Zambada, reportaje y ficción, a la vez.

"Un día decido entregarme al gobierno para que me fusile. Mi caso debe ser ejemplar, un escarmiento para todos. Me fusilan y estalla la histeria. Pero al cabo de los días se va sabiendo que todo sigue igual."

También había escuchado del capo:

"Al presidente lo engañan sus colaboradores. Son embusteros y le informan de avances que no se dan en esta guerra perdida".

Y:

"El narco está en la sociedad, arraigado como la corrupción".

La primera semana de abril de 2010, el secretario de Seguridad Pública, Genaro García Luna, se reunió con una decena de periodistas. Un tema dominante en la conversación fue mi encuentro con *El Mayo* Zambada. García Luna dijo que, por ley, la Procuraduría General de la República (PGR) debió interrogarme acerca del encuentro, a sabiendas de que yo no aportaría revelación alguna que pudiera serle útil a los persecutores.

El funcionario tenía razón. No soy un delator.

Dijo también que, de encontrarme en flagrancia con Zambada, el capo y yo iríamos a la cárcel. En este caso, al funcionario también le asistía la razón, pero debería saber que en esa encrucijada jamás me sorprendería.

Fue significativo, sin embargo, el tono y la manera como debió expresarse el secretario de Seguridad Pública. De otra manera no se explicaría por qué uno de los periodistas asistentes a la reunión había dicho que, de ocurrir el encarcelamiento, él se rasgaría las vestiduras. Tuve por cierto que mis años de trabajo avalaban, a sus ojos, una conducta clara con respecto al narco.

El 1° de septiembre reapareció el contacto. Ismael Zambada estaba en el mejor ánimo para que nos viéramos en cuanto yo lo determinara, de inmediato si ésta fuera mi decisión. Garantizaba mi seguridad. El viaje sería como el anterior, sin contratiempo alguno.

No podía pasar por alto que, durante el encuentro con Zambada, en marzo, me había dicho "cargo miedo", esto es, que no las traía todas consigo. En estas condiciones difícilmente podría asegurarme un viaje sin problemas hasta alcanzarlo en alguno de sus refugios misteriosos. Visto el asunto desde esta perspectiva, me resultaba inaceptable la proposición de Zambada. No viajaría a su guarida. Sin embargo, no era posible hacer a un lado que nadie como él para saber sobre el narco, veterano de sesenta años sin otra vida que el tráfico criminal.

Además, no debía menospreciar la actitud de García Luna en su conversación con los periodistas. Me pareció que su animadversión a mi persona había llegado al descaro, confundido su comportamiento público con la actitud personal.

De común acuerdo con Rafael Rodríguez Castañeda y Salvador Corro, la contrapropuesta a Zambada debía evitar cualquier equívoco. Le hice saber, por medio del contacto, que le mandaría un cuestionario por escrito y él me enviaría sus respuestas como mejor le pareciera. Sugería que sus palabras fueran grabadas y, de ser posible, que me remitiera con ellas una fotografía con su compadre, *El Chapo* Guzmán.

Sólo requerí de unas horas para redactar el cuestionario. El narco es un asunto sobre el que ya me he ocupado. Algo aprendí de las conversaciones con Sandra Ávila, *La Reina del Pacífico*; algo de Zulema Hernández, la amante de *El Chapo*; algo de la violencia en la entraña del tráfico de drogas, algo de los delincuentes recluidos en las cárceles de máxima seguridad.

El cuestionario consta de veintidós preguntas, e incluye tres dirigidas a *El Chapo*. Pienso que unas con otras se complementan hasta formar una unidad.

Las preguntas conjuntas a *El Chapo* y *El Mayo*, fueron:

1. El consumo de las drogas mata las células cerebrales y genera millones de enfermos mentales. ¿Reconoce usted alguna responsabilidad de su parte en mal tan gigantesco, que ya es del mundo?

2. Suman más de treinta mil los muertos desde el inicio del gobierno de Calderón. Frente a desdicha tan grande, incluido un número creciente de periodistas, de criaturas sacrificadas al absurdo, de enfermos y ancianos en el último tramo de su vida, ¿no ha sentido el impulso de abandonarlo todo, ser de otra manera, vivir lejos, muy lejos del narcotráfico?

3. En este baño de sangre, ¿cuál es la responsabilidad de los cárteles y cuál la del régimen?

4. En esta guerra, ¿qué esperan los bandos conten-
dientes, el gobierno por un lado, los cárteles por el
otro? ¿Visualiza usted una guerra sin fin?

5. Del fortalecimiento del narco no son ajenos la impunidad reinante ya tan remota, ni la miseria de
muchos mexicanos que han visto en el cultivo de la
amapola la última posibilidad de un ingreso. Desde
su punto de vista, ¿cómo se fue llegando a esta degradación de la vida pública?

6. ¿De dónde proceden, en manos de los cárteles, las
armas para uso exclusivo del Ejército, la Marina y
la Fuerza Aérea? En hipótesis legítimas, ¿proceden
del mercado abierto de los Estados Unidos? ¿O de
agentes conocedores del mercado clandestino? ¿O
de soldados que desertan? ¿O de soldados caídos,
sus armas abandonadas?

7. ¿Quiénes participan en el lavado de dinero? ¿Multimillonarios y algunas instituciones poderosas,
como las bancarias? ¿Cómo se hace el lavado?

8. ¿Existe en los cárteles alguna estrategia de comunicación con el gobierno, la sociedad, los medios o
incluso los propios cárteles entre sí? ¿Existe en esta
estrategia algún propósito de amedrentamiento?

9. ¿Es usted partidario de la legalización de las drogas? ¿Cuáles serían sus razones para desearla o re-
chazarla? ¿Cómo valora usted la experiencia de
Colombia?

10. ¿Existe en usted algún paralelismo con Pablo Escobar? ¿Le teme a un fin como el suyo? En ciertas esferas del gobierno y en instituciones académicas de los Estados Unidos se alude a la realidad mexicana como un incipiente fenómeno de insurgencia. ¿Coincide usted con esta explicación, sobre todo en lo que se refiere al caso de Sinaloa?

11. ¿Cuál es la extensión territorial bajo el dominio real del narcotráfico? ¿Cómo se vive en esos territorios? ¿De qué manera fue hecha a un lado la autoridad formal?

12. ¿Identifica usted a los responsables de los autos bomba y los "granadazos" que sacuden a una sociedad ya alarmada por la violencia incesante?

13. Hace un par de años tuvo lugar una reunión entre los capos relevantes del país, reunión en la que, se afirma, usted participó. La reunión tuvo como propósito compartir el negocio de la droga en el respeto de zonas y rutas. ¿Fracasó el propósito? En todo caso, ¿cómo puede darse una reunión de esa naturaleza y de qué manera se organiza?

14. ¿Cómo son los cárteles, cómo sus jefes? ¿Cómo es *La Familia Michoacana*? ¿Cómo el cártel del Golfo? ¿Cómo han sido Osiel Cárdenas, *Tony Tormenta*, *El Coss*, el cártel de Juárez, la familia Carrillo, los Beltrán Leyva?

15. Frente al narco, ¿de qué manera actuaron los últimos presidentes priístas (Salinas de Gortari, Zedillo) y cómo se condujeron el primer presidente panista (Fox) y su sucesor (Calderón)?

16. ¿Hay espacio en usted para imaginar una vida después de la muerte, ineludibles la recompensa o la sanción eternas? ¿Cree en Dios y si cree en Él, cómo sería el dios de *El Chapo*, el dios de *El Mayo*?

Éstas fueron las preguntas a *El Chapo*:

1. Las cárceles de máxima seguridad fueron concebidas como fortalezas. No hay quien pueda salir de ellas por méritos propios o su personal ingenio. ¿Cómo armó usted la red de complicidades que hicieron posible su evasión? ¿Cuáles fueron sus complicidades adentro y afuera de la prisión?

2. No hay manera de marginar al presidente Fox y su gabinete de seguridad de la evasión. Un año antes de que usted saliera del penal, ya se sabía de la corrupción imperante en Puente Grande. Hubo denuncias concretas, como las de la señora Guadalupe Morfín, ombudsman en Guadalajara, y no hubo quien le hiciera caso, quien la escuchara siquiera. Por todo esto se ha dicho que Fox tuvo su capo consentido: *El Chapo* Guzmán Loera. ¿Qué opinión le merecen el entonces presidente y su gabinete de seguridad, meros espectadores en la fuga?

3. ¿Tiene sentido la acumulación de riqueza —*Forbes* lo cita entre los multimillonarios del mundo—, si no puede gastarla como se le antoje, siempre oculto, siempre a salto de mata? ¿Para qué, en suma, quiere tantísimo dinero?

Para *El Mayo* enlisté tres preguntas que correspondían directamente a nuestra conversación en la montaña:
1. ¿Cómo reacciona usted frente a la extradición de *Vicentillo* y el posible silencio para siempre de su primogénito? ¿Tiene usted manera de verlo, escucharlo? ¿Tiene noticia directa de su cautiverio?
2. ¿Cómo es, de qué manera se da el amor clandestino? ¿No es un abuso imponer modos de vivir a sus hijos, para siempre descendientes de narcotraficantes?
3. ¿Cuáles fueron las repercusiones de nuestro encuentro el pasado mes de marzo y, particularmente, de la fotografía publicada en la portada de la revista?

La fuga

Alentada desde el exterior la corrupción en Puente Grande, nadie podría negar que, un año antes de la fuga, *El Chapo* se había hecho dueño tanto de las instalaciones como del director de la cárcel, de los custodios, de los reos, de las mujeres con las que se gozaba en orgías frecuentes. Durante ese lapso, ocre y negro, los colores del sufrimiento y la muerte, hubo internos que, al primer signo de rebeldía frente al capo, aullaban de dolor con las piernas quebradas a punta de golpes.

El 22 de noviembre de 1995, *El Chapo* había ingresado en la cárcel de Puente Grande, y el 19 de enero de 2001 recuperó su libertad sin contratiempo alguno. No hubo un grito, un golpe, el ladrido de un perro guardián, la sirena perentoria del sistema de alarmas, una luz roja que anunciara peligro. El capo abandonó el reclusorio como quien da un paseo, tuvo al sol para sí y se internó en el misterio.

El Chapo dejó atrás, cómplices por comisión u omisión, al presidente de la República y a los miembros de su gabinete de seguridad. No hubo uno que explicara al país lo sucedido y no hubo uno que fuera llamado a la rendición exhaustiva de cuentas. La impunidad había llegado al corazón de una prisión tenida por inexpugnable. La certeza se fue abriendo paso por sí misma: el gobierno le había regalado la libertad al gran capo del crimen organizado. Fueron a prisión los menores, los irrelevantes para la gran política, el personal de Puente Grande encabezado por su director.

En diez años de política azul, *El Chapo* llegó a las páginas de *Forbes*, donde se codea con los grandes del mundo. En su vida goza de su propia eternidad, hombre de corridos.

La muerte de Zulema

La historia ha sido contada repetidas veces y no tendría caso relatarla aquí una vez más. Sin embargo, de Zulema Hernández, la amante de *El Chapo*, me quedan en la memoria los pasajes finales de su vida.

La vi por última vez un día del segundo semestre del año 2004. Yo había sido invitado a una ceremonia sencilla en la Penitenciaría de Santa Martha Acatitla, en Iztapalapa. No cabía en mí otro mérito que la insistencia ante las autoridades del Distrito Federal para que se abriera un taller en el reclusorio, abyecto el ocio de los internos. La ceremonia la presidirían Alejandro Encinas y Martí Batres. Se escucharon los discursos del caso y llegó el momento importante: la puesta en marcha del centro de trabajo. Encinas me pidió que yo accionara la palanca que lo pondría en funcionamiento y yo le dije que a él correspondía el acto simbólico. A la postre, juntos, escuchamos el naciente fragor de las máquinas.

En el pequeño tumulto que celebraba la jornada, se aproximó al sitio donde me encontraba una señora menuda, amable. Era Martha Robles, directora de la cárcel de mujeres, contigua a Santa Martha Acatitla. La prisión, a punto del cierre definitivo, albergaba solamente a cinco internas. Una, Zulema.

Martha Robles me dijo que Zulema, enterada de que andaba por ahí, me pedía que fuera a saludarla. Reaccioné con sentimientos atropellados. Zulema había recobrado su libertad en 2003 y de nuevo caía. No marchaba su vida.

Acompañado de la señora Robles, la emprendí rumbo al reclusorio femenil y ya en un pasillo, largo y gris, observé que la interna avanzaba pausadamente a nuestro encuentro. Paso a paso, sabía la señora de la sensual belleza que desplegaba en ésa su manera de andar. Ya cerca de ella, a punto del abrazo, la advertí distinta.

En su celda, sentadas la directora y la reclusa una al lado de la otra sobre un colchón sin relleno y yo enfrente, se me hizo evidente el descenso abrupto de la mujer. Su lenguaje se afanaba en la innecesaria vulgaridad.

Sin una sonrisa o una palabra que buscara nuestra aceptación, encendió un primer cigarrillo, las piernas cruzadas con descaro. Martha Robles la veía hacer, como si se tratara de una comadre a la que visitaba seguido. En eso, escuché el timbre amortiguado de un celular. Mis ojos se detuvieron en la directora, pero era el teléfono de Zulema el que reclamaba atención. La señora entreabrió las piernas, hurgó en sí misma y desprendió el aparato de la profundidad de su cuerpo. De manera natural, sin pasarle la palma de la mano encima, llevó el aparato a su oreja e inició una plática que sería larga.

Invitados de piedra, la directora y yo aguardamos a que el interés de Zulema se detuviera en nosotros. Finalmente, regresó el teléfono a su entraña y se dispuso a conversar.

Me dijo que saldría pronto de la cárcel. Respondí que sería prolongada su permanencia entre las rejas que tan bien conocía.

Insistió, insinuada apenas su contrariedad:

"Yo sé de encierros y tú no".

Ya de pie los tres, sentí sus ojos absolutamente amistosos.

"Te quiero mucho", me dijo.

Por tercera ocasión Zulema ganó la libertad para perderla en breve tiempo. Dañada el alma o lo que de ella quedara, se involucró en la fayuca y se adentró en la delincuencia organizada. No quería más vida que ésa que llevaba, la del crimen y la muerte.

El 20 de enero de 2010, el hermano de Zulema, Aarón, me pidió una cita. Platicamos en la pequeña sala de juntas de la revista.

—Zulema hablaba muy bien de usted —me dijo.

"Si necesitas algo, dile que te ayude", le habría aconsejado Zulema.

Y para eso se encontraba en *Proceso*, para que le ayudara a conseguir trabajo.

—¿Cómo estás? —le pregunté.

—Muy triste. Zulema no aceptó la calle.

—¿Y Brandon*, tu sobrino?

—Desquiciado.

—¿Te puedo preguntar por tu hermana?

—¿Por qué no?

—¿Cómo fue el final?

—El jueves 18 de diciembre de 2008 se reunió con una persona para negociar una mercancía. Se trataba de aparatos de televisión que habían trasladado a un lugar semipoblado en un tráiler robado. Ese día ya no regresó con nosotros. Entre el jueves y el viernes la buscamos y al fin la hallamos en el Ministerio Público de San Agustín, en el Estado de México. Ahí nos enseñaron unas fotografías de Zulema, muerta. La habían encontrado en la cajuela de un automóvil junto con un señor, su socio, y estaban a punto de mandarla a la morgue.

Aarón se detiene en su relato fluido. Le cuesta trabajo seguir adelante.

—Vi las fotografías —dice.

—¿Qué viste?

—Piquetes por todo su cuerpo. Tasajos.

En Jardines del Recuerdo, Zulema fue enterrada el 21 de diciembre de 2008, a mediodía, alto el sol.

* Hijo único de Zulema.

2. La guerra de Calderón

Fox, en su desventurada frivolidad, ofreció que llevaría a la cárcel a peces grandes que habían engordado a costa de todos. Nombró contralor a un norteño fuerte, alto, el ceño severo, estampa de la autoridad implacable. El último dato de su biografía —la de Francisco Barrio— lo describe: embajador en Canadá, sin compromiso, sin riesgo el buen sueldo, la posibilidad de ahorrar para lo que fuera. Su paseo por la cancillería negaría un episodio memorable a su favor.

Calderón, en su turno, desalentó desde el principio las expectativas que muchos tuvieron acerca de que él, él sí, emprendería un camino distinto al de Fox y combatiría a fondo la corrupción y su punto de apoyo, la impunidad, el cáncer más doloroso en el organismo de la nación. En un lenguaje sin explicaciones advirtió que su régimen no actuaría contra el ex presidente ni contra su esposa, ni contra los hijos de la señora Sahagún, insistentemente señalados como corruptos; tampoco actuaría contra el saqueo a Pemex. No se ocuparía de los dispendios en el aeropuerto internacional, ni de la megabiblioteca, ni de los derroches nacidos de la irracionalidad, en suma, de ninguno de los escándalos mayores o menores en los que el sexenio foxista se había visto comprometido.

Uno al lado de otro en la historia azul, Fox y Calderón han mantenido posiciones opuestas frente al crimen organizado. Uno dejó en paz a los capos y el otro ha fundado con ellos una galería de notables que, sin duda alguna, seguirá creciendo. Uno, Fox, cubrió al país con el delgado manto de una paz que no se ve por lado alguno y el otro, Calderón, lleva al país a una guerra desdichada.

Sólo por fuera, pintados del mismo color, los mandatarios guardan un parecido. Pero de su relación política, inmensa su responsabilidad, poco a poco se va sabiendo más y más acerca de sus desacuerdos. Se habla ya, unidos los tiempos de ambos en Los Pinos, de la "decena perdida" y de un país que no encuentra su rumbo.

Sin medir la magnitud del problema que enfrentaba, Calderón se metió entero en el agua helada de un océano sin orillas. Ignoró o no fue consciente de que el narco se había infiltrado en las capas altas, medias y bajas de la sociedad a lo largo de cincuenta años de priísmo complaciente y durante el periodo del foxismo cómplice. Si Calderón había tramado una alianza emergente con las Fuerzas Armadas, los narcos habían tejido sus redes, lenta, pacientemente, que el tiempo estaba de su parte. Los narcos habían adquirido cartas de ciudadanía, visibles en la geografía de la República pueblos enteros cuya respiración la debían a la droga.

Además, cerrado a una creciente inconformidad, Calderón decidió que la guerra al narco sería su guerra y él sabría de qué manera conducirla, apoyado en las Fuerzas Armadas. En su desmedido protagonismo, vistió a sus hijos, Luis Felipe y Juan Pablo, de cuatro y ocho años de edad, con el uniforme de campaña, el verde olivo del Ejército que formó el general Joaquín Amaro allá por la década de 1920. En una foto se ve a los niños en la misma línea horizontal que su papá, flanqueado el presidente de la República por los secretarios de la Defensa y la Marina, presente también el jefe de la Fuerza Aérea.

"Son los menos"

Al dejar abiertos los cuarteles para que las Fuerzas Armadas se lanzaran contra el crimen organizado, Felipe Calderón declaró que asumiría en su integridad las consecuencias de la batalla que iniciaba. Resuelto, general de cinco estrellas, habló a la nación sobre su compromiso total en la magna batida.

Inequívoco el lenguaje, afirmó que asumiría como propios los daños colaterales de la batalla que libraba en el territorio de la nación. Los daños colaterales no podrían ser otros que las muertes de inocentes, las desapariciones, los secuestros, las mutilaciones y las mil calamidades sin remedio que trae consigo el vendaval de la violencia.

Avanzado su gobierno, en abril de 2010, afirmó que "más del noventa por ciento de las ejecuciones asociadas a la guerra contra la delincuencia obedecía al choque entre grupos del crimen". A continuación y al referirse a los inocentes caídos en la estrategia militar para abatir el narco, acudió a palabras difíciles de aceptar:

"Son los menos", expresó en una frase desdeñosa.

"Los menos" pueden ser miles, cientos y aunque fueran unos cuantos, o sólo uno, "alguien" tendría que decirle a la nación qué fue de ellos. Los muertos sin culpa alguna, los inocentes, no dejaron la vida por un incendio propagado por el viento, un terremoto, el desgajamiento de un cerro o una tormenta tropical. Cayeron como resultado de una estrategia militar diseñada por el comandante supremo de las Fuerzas Armadas. Tocará a él, por tanto, rendir cuentas "hasta sus últimas consecuencias" de lo acaecido en los frentes abiertos en la lucha contra el narco. Porque los muertos están ahí y ahí siguen angustiosa y paradójicamente vivos.

No existe el daño abstracto en el Estado de derecho. Simplemente, no hay daño sin su correspondiente autor, así como no hay causa sin efecto ni homicidio sin homicida. En el tiempo bélico de Calderón, de "los menos" se sabe apenas que un día desdichado y sin saber por qué, la maldad los apartó del mundo.

"Al primer paso sobre el mar, me hundí"

Coordinador de los diputados panistas en la LVIII Legislatura, Felipe Calderón iba y venía por los pasillos de la Cámara, subía y bajaba de la tribuna, rebatía con encono a sus adversarios y se hacía seguir con manifiesto interés por sus correligionarios. Se le notaba desenvuelto, seguro, estampa de un joven líder.

Por esa época nos reunimos en la parte alta del restaurante La Casserole, sobre la avenida Insurgentes. No recuerdo el motivo de la cita, pero sí que yo mantenía una relación cordial con buen número de militantes de Acción Nacional. Había conocido a su fundador, que me atraía sobremanera por sus maneras exquisitas y sus ojos incendiarios.

El restaurante se encontraba semivacío y bajo una penumbra que propiciaba la conversación que atañe a los asuntos personales, Calderón y yo nos confiábamos uno al otro.

Me dijo que la parábola de Jesús bajo la tormenta, aterrorizados los apóstoles en una barca que zozobraba, la llevaba en el alma como una oración. Pensaba en los apóstoles, hombres comunes y corrientes, tanto o más que en el hijo de Dios, y a los doce los relacionaba con amigos muy queridos, complicados en problemas serios.

Palabras más, palabras menos, culminó su relato entre un fino humor y el esbozo de un drama que hiere. Recuerdo el final de su relato, visión de una imagen del pasado que en mí perdura:

"Yo también —me dijo—, resuelto a salvar a los míos, a 'mis apóstoles', me dispuse a dejar el lanchón y caminar sobre el agua. Sin embargo, al primer paso sobre el mar, me hundí y desperté".

A mi vez, esbocé a Calderón mi propia crisis de fe. Educado en el Colegio Alemán Alexander von Humboldt, en el Instituto Bachilleratos, dirigido por jesuitas, y en facultades de la Universidad Nacional Autónoma de México (UNAM), inconstante y al fin autodidacta tardío, mantenía revuelto el mundo de adentro. Ciertamente no se llevaban la dureza germana con la seducción jesuítica y la liberalidad de estudios elementales de filosofía y letras, en la UNAM. No podía creer ni dejar de creer en Dios. No me atraía el cielo ni temía al infierno, me gustaba vivir y la vida llegaba a sentirla como un inmenso vacío.

Años después, reunidos por Josefina Vázquez Mota, desayunamos en el Centro Libanés. Calderón estaba en plena campaña por la Presidencia de la República.

Hablé sin parar y conté mis agravios con Acción Nacional. El partido había olvidado a los hombres que lo formaron y a los mejores de sus seguidores. Para Manuel Gómez Morín no había una frase reciente que valiera la pena, como tampoco la había para Efraín González Luna y Miguel Estrada Iturbide, sus contemporáneos en la naciente organización política. Tampoco había una línea para los primeros diputados federales, cinco estoicos en su resistencia frente al ejército priísta que no logró aplastarlos, y al primer senador azul, histórico en su curul solitaria, habría que rastrearlo con lupa. Los diputados de partido, una innovación en el escenario camaral, pasaban inadvertidos en los órganos doctrinarios y de circulación azul, y al propio Adolfo Christlieb, en buena medida autor de la iniciativa y muchos méritos más, se le mantenía en algún escondrijo. Rafael Preciado Hernández, ideólogo, filósofo y maestro de generaciones, pasaba como figura secundaria en los hechos cotidianos del tiempo incesante. De Carlos Castillo Peraza, menospreciado por tantos, hablé largamente y con dolor.

Llegó la hora de la despedida. El monólogo me había dejado sentimientos de frustración. Quizá lo advirtió Calderón y me anunció una carta inminente.

La recibí el 17 de enero de 2006. Me llamó la atención el color del pliego, negro y anaranjado, apenas diferente del negro y amarillo del PRD. En el margen superior izquierdo de la carta se leía "Felipe Calderón", y al lado, su figura en color naranja. En la parte superior derecha destacaba el lema de campaña: "Mano firme, pasión por México".

El documento acusaba una falta de ortografía, mi apellido paterno sin la "c"; y mi apellido materno, que siempre me acompaña, había sido suprimido.

Sr. Julio Sherer.
Presente.

Muy querido don Julio:

Gratamente impresionado por sus convicciones y por el valor de su franqueza, le escribo estas líneas para decirle cuánto valoro su presencia en la vida pública de México a través de su trabajo diario.

Discrepo desde luego en diversos temas y percepciones, sin embargo la hondura de sus reflexiones enriquece mi visión de México y seguramente contribuirá en beneficio de la meta que me he propuesto: una vida mejor y más digna para todos.

Lo saludo con admiración y con gratitud por compartir tan generosamente su pasión sobre el destino de México.

Atentamente,
Felipe Calderón Hinojosa

Leí la carta. Lamenté su oquedad.

Doña Josefina

Rafael Rodríguez Castañeda conversó con Josefina Vázquez Mota el 23 de marzo de 2009. El encuentro entre el director de *Proceso* y la secretaria de Educación Pública fue inusual. Desde hacía largo tiempo la revista había sido excluida de cualquier trato con los hombres y las mujeres del Ejecutivo federal. De buen humor, el periodista le dijo a la funcionaria que ahora se le disipaban dudas y quedaba enterado de que en el gobierno subsistían zonas de libertad.

La conversación entre ellos fue amable. En su transcurso, doña Josefina había expresado que pronto, quizás esa misma tarde, buscaría la oportunidad para que ella y yo conversáramos.

Transcurrieron algunos días sin noticia de la titular de Educación, de suerte que busqué a su jefe de prensa, Abelardo Martín, amigos desde la época de *Excélsior*, para averiguar qué ocurría con el eventual encuentro. Le dije, en el tono amable de una fácil ironía, que aguardaba impaciente el momento de la reunión.

Abelardo me comunicó que la señora y yo nos veríamos en el Estoril, en Campos Elíseos, y que ya me haría saber la fecha y hora del encuentro; más tarde me notificó que nos encontraríamos en La Taberna del

León, en el sur de la ciudad; finalmente, que la cita se cumpliría en las instalaciones de la Secretaría de Educación Pública, en el sur. Nos veríamos a las veinte horas, el 30 de marzo.

Llovía esa noche y calaban el frío y el viento. El comedor que me fue asignado participaba de la ineludible atmósfera desangelada. Sobre una mesa enorme, de ésas de los consejos de administración, habían sido dispuestos tres platos, tres servilletas, tres vasos, tres copas y tres juegos de cubiertos.

Tras unos minutos de espera, apareció un mesero. Me vio, cumplió con el saludo y advirtió, señalándome una silla:

—La señora se sienta ahí.

—Sí, señor.

—¿Le ofrezco algo?

—Espero a la señora.

Un segundo mesero se hizo presente. Como el anterior, apuntó con el índice y me dijo:

—La señora se sienta ahí.

Había dos sillas más, una para Abelardo y, sin duda, la otra para mí, frente a la anfitriona y su acompañante.

Hube de aguardar otro rato, en formal conversación con Abelardo y, al fin, saludé a la señora.

Al instante me cubrió con palabras de bienvenida y frases que hablaban de una amistad consagrada.

Sin imaginarlo, escuché, súpito:

—Recuerdo con emoción nuestro desayuno con el presidente Calderón, en el Libanés. Va para un año y qué desayuno, don Julio.

Siguieron sustantivos, adjetivos, adverbios, pronombres, todo un lenguaje apasionadamente evocador.

—El desayuno fue hace años, señora, y no hubo conversación alguna que pudiera recordar. Fue un monólogo, señora.

A partir de ese momento supimos la señora, Abelardo y yo que la cena iría por mal camino. La conversación, en efecto, careció de sentido. Juntos en el desagrado, bebimos de prisa un tequila y comimos tres tacos y un filete de atún. No habría espacio para un café y la sobremesa hubiera sido impensable.

A punto de las "buenas noches", le dije a la señora, de mal humor: "Aún tiene tiempo, señora. Sálgase. Esto no va a ninguna parte".

La secretaria de Estado me tendió la mano, largo su brazo. Dos días después, el presidente Calderón prescindiría públicamente de Josefina Vázquez Mota como titular de Educación Pública. La señora, sorprendida, desarmada interiormente, estuvo cerca de la pérdida de la conciencia. Hubo de acercársele una silla para prevenir un espectáculo doloroso.

Escuchó, sentada, el discurso del presidente, sin energía para comportarse con mínima naturalidad frente al descalabro que la exhibía. No obstante, unos meses después, el 7 de junio anunció enjundiosa su decisión para contender por la Presidencia de la República.

Sandra Ávila y la acusación del presidente

El 3 de octubre de 2007, de cara a la nación, declaró el presidente de la República:

> El viernes pasado [28 de septiembre de 2007], fueron detenidos, entre muchos que se han detenido este año, la verdad ya perdí la cuenta, dos de los delincuentes más peligrosos y de los más importantes de América Latina. Una es la famosa *Reina del Pacífico*, o *del Sur*, Sandra Ávila Beltrán, y otro es un colombiano, Juan Diego Espinosa Martínez.

El presidente agregaba que "con la detención de esos dos personajes estamos desmantelando un vínculo para pasar cocaína desde Colombia hacia México y Estados Unidos".

Más allá de que el expediente del caso se mantuviera aún sin abrir y Sandra Ávila fuera inocente mientras no la condenara un juez, la acusación del presidente le resultaría demoledora. La televisión haría su parte en el caso de *La Reina del Pacífico*, lanzada al desprestigio desde la cúpula del gobierno. La presentó soberbia, desafiante, el rictus revelador de los labios, el insolente largo paso de sus piernas.

Al margen del abuso en el ejercicio del cargo, el presidente violentaba el Estado de derecho en su propia esencia. Sin equívoco posible, el Ejecutivo federal invadía funciones que no le correspondían. Su incursión en los terrenos del Poder Judicial estaba fuera de lugar. El ansia de dominio asoma por ahí: la supresión de los poderes paralelos.

Me propuse conocer a Sandra Ávila y, de ser posible, entrevistarla. El personaje me parecía atractivo como pocos y escudriñar en el narco se me ofrecía como un tema apasionante.

He contado acerca de nuestro primer encuentro y de muchos que siguieron después. Ella me entregó su confianza y yo la mía. Nos fuimos acercando, precavidos ambos, desconfiados por principio. La relación evolucionó, respetados los espacios recíprocos y las circunstancias de cada uno.

Fui conociendo los estragos que en su ánimo habían causado las palabras condenatorias del presidente de la República. Sostenía Sandra Ávila que nunca podría perdonarle el aplastamiento cometido con ella.

La captura de Sandra Ávila cimbró al reclusorio femenil de Santa Martha Acatitla, donde fue asignada. No había manera de encerrarla en alguna de las prisiones federales de máxima seguridad, por ahora reservadas para varones.

Cárcel de mediana seguridad, la Secretaría de Seguridad Pública (ssp) tomaría por su cuenta a la interna. Nada debería ocurrirle, fue la advertencia subrayada que llegó a las autoridades del penal femenil. *La Reina del Pacífico* pertenecía al hampa internacional, había dicho el presidente de la República. Había, pues, que resguardarla y dejar al tiempo para que la justicia se ejerciera cabal en su caso. Emblemática la señora, había que mantener la atención en el doble ritmo de su vida: la existencia en cautiverio y la salud de su cuerpo.

Fue remitida al área restringida en el segundo piso del Dormitorio A. Los pocos pasos que le eran permitidos serían contados, y la vigilancia de las cámaras de circuito cerrado la dejarían al descubierto las veinticuatro horas del día.

A disposición del juzgado decimoctavo, donde se ubicó el proceso, su traslado a dieciocho kilómetros del reclusorio femenil se iniciaba a las cinco de la mañana. El operativo corría por cuenta de cuatro camionetas blindadas tipo panel. El recorrido tomaba en cuenta la posibilidad de todos los riesgos. Exhibida públicamente por el ya presidente de la República como elemento clave en la ruta del narco, famosa fuera de México, eran pocas todas las precauciones para mantenerla a buen recaudo en la cárcel de Iztapalapa y durante sus viajes al juzgado, casi secretos.

Al interior del reclusorio, Sandra Ávila padecía un doble encierro: el impuesto por las reglas del penal y el determinado por la SSP, que le imponía un trato discriminatorio. El desplome del ánimo de *La Reina del Pacífico* era peligroso y en nada la había ayudado el trato con sus compañeras, las internas. Altiva, arrogante, las toscas resquebrajaduras de su conducta acusaban trastornos que podrían llevarla a una peligrosa depresión.

Frente a los síntomas de un cuadro psicótico, las autoridades del penal optaron por abrirle pequeños espacios, un remedo de vida propia. Por las noches, dormidas las internas o sumidas en un sudoroso insomnio, Sandra Ávila podía caminar por espacios mínimos que le habían sido prohibidos durante el día. Fue entonces cuando empezó a distraerse con un rompecabezas y a mirar televisión en la más pequeña de las pantallas. Quería vivir e ingresó en un taller de pasta francesa y en otro de repujado.

No obstante, persistía en ella un ánimo decaído que a algunos hacía temer la precipitación vertical, el suicidio. Los signos eran visibles, algunos días envuelta en sí misma, igual que un ovillo. Sus familiares permanecían ausentes; la persecución que la PGR había emprendido en su contra los había inhibido del traslado a la ciudad de México para visitar a su pariente. Radicados en Guadalajara o en el norte, su lejanía subrayaba el aislamiento de la interna.

La Reina del Pacífico y yo conversábamos en la sala de juntas de la cárcel femenil de Santa Martha Acatitla. Nuestras reuniones ocurrían los viernes y en ocasiones agregábamos un día, los martes. Crecía entre nosotros una buena relación, de las que se sienten. A mí me interesaba su vida y ella estaba dispuesta a contarla.

Las alusiones al presidente Calderón eran frecuentes. Sandra no le perdonaba que la hubiera señalado sin pruebas, aun por integrar el expediente de su caso como enlace en el tráfico internacional de la droga. Consideraba que la condena la dañaba irremisiblemente.

Un día, dispuestas sobre nuestra mesa de trabajo dos tazas de café y una charola con galletas que llevaba semanalmente al reclusorio, Sandra Ávila irrumpió en la sala con ojos encendidos y me dejó con la mano en el vacío. Gritó desaforada y juró que nuestra relación había terminado. Entre frases cortas y palabras que alcanzaron la incoherencia, me dijo que la había exhibido frente a las autoridades del penal como una mujer soberbia que se hacía esperar hora y media antes de que dieran principio nuestros encuentros.

40

Intempestivamente tomó una taza y me miró con una mirada negra y sólida. Supe, con la certeza que me ofrecía el espectáculo, que me arrojaría el trasto con la fuerza de una mujer acostumbrada al ejercicio rudo, la equitación. Pero no, la estrelló contra la pared y enseguida fue a su silla.

Al estrépito se unió el escándalo. En segundos se encontraban custodias y un par de custodios en la sala. Exigí a todos que abandonaran el lugar. Una de las escoltas se negó.

—Soy responsable de la seguridad de la interna —me dijo.

—Se retira, señora —la enfrenté inapelable.

Uno de los pedazos de la porcelana había saltado del piso a la mesa, justo a unos centímetros de la mano de Sandra Ávila. Como si se mantuviera aislada en el mundo, llevó el pedazo en punta a las venas bajas de su brazo izquierdo y empezó a penetrarla en su carne. Me pareció que no había en ella el propósito de causarse daño severo y la dejé hacer. Pero luego levantó la punta a la yugular y el gesto me pareció excesivo. Sin esfuerzo, abrí el pulgar y el índice de su mano derecha y coloqué la punta en el lugar exacto donde ella la había tomado. Me vio hacer, los ojos entrecerrados.

Con el propósito de contar lo sucedido a la directora del reclusorio, Luz Margarita Malo González, abandoné la sala de juntas y pedí algunos minutos para conversar con ella.

—No se preocupe —me dijo—, escenas como éstas ocurren todos los días.

—Pero no en el área de la dirección.

—Está bien, pero dígame, ¿cuál es la diferencia? Ahora, en el caso de Sandra, desde el origen la persiguen como a muy pocas. Es guapa en un mundo hostil, cruzados los sexos. Además, se le sabe mujer de fortuna en el mundo de pobreza atroz que aquí prevalece.

A punto de retirarme, una de las custodias se hizo presente en la dirección. Su asunto era urgente: "La interna pregunta si el señor podría pasar a verla".

Vi a Sandra Ávila sentada, inmóvil, repetido el cuadro en que la había dejado. Me detuve en sus ojos, húmedos.

"Ya me voy, pero me gustaría que nos despidiéramos de mano", le dije.

Nos despedimos, como todos los viernes y algunos martes, en el último metro del encierro. Unos pasos más allá se abren puertas de hierro y un largo pasillo resguardado por armas largas.

Era una de esas mañanas en las que fluían las ideas y yo avanzaba en mi trabajo. En esa atmósfera me alteró una custodia que anunciaba a Sandra la presencia de su abogado. La esperaba en el locutorio.

"A lo mejor tardo", me dijo.

Aguardé con el ánimo desencantado. Nuestras conversaciones habían oscilado pendientes de un hilo. El libro podría perjudicarla, le habían advertido personas cercanas. Debía tener cuidado. Los periodistas van a lo suyo. En el otro extremo yo argumentaba: una vez que se había declarado inocente, no tenía más camino que mostrarse tal cual a partir de que era multimillonaria y pertenecía a una sociedad narca que no había inventado, que había heredado en plenitud, pero que nada de todo eso la hacía delincuente, inscrita en el narcotráfico y el crimen organizado.

A su regreso, el abogado fue terminante: luchaba por la libertad de Sandra y no había para él asunto más importante. Ejercía su profesión en Guadalajara y mantenía afectos añejos con la familia de la interna. No descansaría hasta saberla en la calle y rechazaba, definitivamente, la publicación del libro. Reiteró que le parecían inadmisibles los pronunciamientos de Sandra en contra del presidente de la República.

Si de la libertad se trataba, argumenté en cuanto me dio un espacio el abogado, manteniendo sin variación mi punto de vista, Sandra Ávila debía recuperarla a partir de su propia biografía.

El abogado y yo mirábamos alternativamente a

Sandra y ella nos correspondía. En momento alguno despegó los labios.

—Pues estoy en contra del libro, definitivamente —volvió el litigante.

—Entre la señora y yo existe un compromiso. Si ella se opone a su publicación, el libro no aparece. En el libro se la juega completa y es el mínimo derecho al que podría aspirar —repuse—. El libro es su vida —agregué.

De pie, el abogado se retiraba.

"Lo acompaño", se ofreció Sandra.

En la espera, yo cavilaba. Al fin, Sandra abrió la puerta de la pequeña sala donde habíamos conversado y fue directo a su silla. No sonrió, pero aprecié su voz tranquila:

"Sigamos, don Julio".

Al ingresar en la cárcel, antes de su primer paso, fue privada de los zapatos altos y el abrigo de mink con los que había sido sorprendida en el momento de su captura. Descalza, un custodio le señaló unas chanclas. Eran repugnantes. Los hongos bullían a la vista y se aspiraba un hedor. Sandra pidió que le permitieran otro par, visible, al lado.

—No —fue la respuesta.

—Apestan —protestó.

—Obedezca y cállese.

En esos inicios, Sandra Ávila apenas contaba con espacio para caminar fuera de la celda que se le había asignado. Se pensaba encerrada en un cajón, se ahogaba. Sus días y noches los acompañaba el silencio.

Sandra Ávila ingresó en el reclusorio femenil de Santa Martha Acatitla el 29 de septiembre de 2007, acusada por delitos contra la salud, delincuencia organizada y operación con recursos de procedencia ilícita (lavado de dinero). Tiempo después, casi tres años, del exterior le llegó una buena noticia. *La Jornada* había publicado el texto que sigue:

> El juez federal Fernando Córdova cerró el martes la instrucción del proceso penal contra Sandra Ávila Beltrán, *La Reina del Pacífico*, por lo que a partir de ahora ni la Procuraduría General de la República (PGR) ni los abogados de la acusada de narcotráfico podrán aportar más pruebas al juicio, a fin de que el juzgador pueda analizar el expediente y emitir la sentencia correspondiente.
>
> Quienes conocen de este caso estiman que a más tardar a principios de octubre el juez Córdova emitirá su sentencia, aunque, a partir de hoy, la resolución puede emitirse en cualquier momento.
>
> La última prueba que la PGR intentó aportar —sin éxito— a este juicio fue el libro que escribió Julio Sche-

rer titulado *La Reina del Pacífico. Es la hora de contar*, en el que Ávila Beltrán cuenta al periodista que conoció de cerca a varios capos de la droga.

En octubre de 2007, el juzgado octavo sujetó a proceso a *La Reina del Pacífico* al considerar que había indicios de su probable responsabilidad en delitos contra la salud y delincuencia organizada.

En ese contexto, la semana pasada Olga Sánchez Contreras, titular del juzgado décimo quinto de distrito, con sede en el Reclusorio Oriente, opinó que no debe ser extraditada a Estados Unidos, pues existen dudas de que sea la mujer que los estadounidenses pretenden juzgar en la corte federal del distrito sur de Florida, con sede en Miami.

La opinión de la juez no es obligatoria para la Secretaría de Relaciones Exteriores, por lo que las autoridades diplomáticas mexicanas tendrán la última palabra respecto a si se concede la extradición.

La imputación de la corte estadounidense contra Ávila Beltrán se basa en una conversación telefónica intervenida al colombiano Manuel López Correa, donde platica sobre un adeudo que tenía por 100 kilos de cocaína colocados en Chicago, y que sus interlocutores eran el colombiano Juan Diego Espinosa, *El Tigre*, y Sandra Ávila, su entonces pareja sentimental.

No obstante, exámenes periciales y antropométricos elaborados por la Procuraduría General de la República determinaron que ni la voz ni la imagen contenida en una fotografía corresponden a Ávila Beltrán.

Aún sin sentencia y señalada como eslabón en el tráfico de droga entre Colombia, México y los Estados Unidos, el 29 de octubre de 2010 la Secretaría de Relaciones Exteriores informó que procedía la extradición de Sandra Ávila a los Estados Unidos para ser enjuiciada por narcotráfico en la corte federal del distrito sur de Florida.

Ya en esta ocasión, la solicitud de extradición había sido negada a la corte federal. Correspondió al juez decimoctavo de distrito, licenciado Fernando Córdova, titular del proceso seguido a Sandra Ávila, dar cuenta de su criterio. Sostuvo el abogado que los elementos de prueba aportados no acreditaban suficientemente que la llamada *Reina del Pacífico* fuera la narcotraficante a la que aludía la corte federal.

No obstante la negativa a la solicitud de extradición, una segunda instancia llegó a México procedente de los Estados Unidos. Conoció del caso la licenciada Olga Sánchez Contreras, juez décimoquinto de distrito y al igual que su colega, Fernando Córdova, opinó que no procedía la extradición de Sandra Ávila. El punto de vista de la juez tomó en cuenta, inclusive, uno de los datos novedosos en la solicitud de la corte federal de Florida. Se trataba de una grabación que supuestamente identificaba a la señora en una conversación que la incriminaba. El diálogo ocurría con Juan Diego Espinosa, *El Tigre*, colombiano de origen, sentenciado por narco.

La Secretaría de Relaciones Exteriores representa la última y definitiva instancia por parte del gobierno mexicano en el caso de la extradición. Ante sí y por sí, simple el trámite administrativo, cuenta entre sus facultades enviar a Sandra Ávila a la corte federal de California. Por lo pronto, la orden quedó en suspenso por el amparo interpuesto por la señora, mismo que ya fue recusado por la procuraduría federal.

El 3 de diciembre de 2010, *La Reina del Pacífico* y *El Tigre* fueron absueltos de los cargos de narcotráfico y delincuencia organizada por el juez decimoctavo del Distrito Federal, Fernando Córdova del Valle, pero el tema de su libertad permanece por dilucidar. Está vivo el cargo por lavado de dinero y aún pendiente su extradición a los Estados Unidos. Por ahora, la cárcel cerca su vida.

3. Niños sicarios

Vicente Acosta López

Vicente Acosta López fue un niño harapiento que olía mal. Desde la calle, prohibido su acceso a una juguetería que frecuentaba, sus ojos miraban una pistola negra expuesta en el punto más visible de un aparador. Le encantaba el arma y decía que no la cambiaría por nada, ni siquiera por la bicicleta roja que también despertaba sus ansias.

Acosta López, *El Güero*, vivía en una colonia miserable de Pueblo Nuevo, en Nogales. Se alimentaba de mendrugos y se soñaba con la pistola negra en su cintura huesuda. Se sabía fuerte y caminaba ufano con los ojos de mujeres que lo seguían de lejos o se le acercaban, que para todas tenía con qué.

A los quince años sumaba cinco ingresos en la comandancia de policía por riña, vagancia, tenencia de arma blanca y robo. A los dieciséis fue formalmente acusado por delitos contra la salud. Aún menor de edad, vio esqueletos sin cabeza y cabezas sin tronco.

Acosta López forma parte de los menores que respiran violencia desde el día de su nacimiento. La sufren en el habla desquiciada de un padre ebrio, en las golpi-

49

zas a una mujer aterrada con una criatura en brazos, en el pleito sin respiro en la vía pública, en la tienda, en la escuela, en los grupos de soldados y la humillante superioridad de su uniforme, en los ominosos retenes, en el tronido de los disparos.

En el mundo de *El Güero* y tantos otros, el desquite, ni siquiera la venganza, da para una crónica cotidiana. Se mata por lo que sea, una palabra de más o de menos, una mirada oblicua, la maldición directa a la madre partida en dos, violada por su propio hijo en la ofensa definitiva. Bajo la claridad de esta penumbra, surgen para los chavos las figuras de sus modelos: *El Chapo*, Zambada, *La Barbie*.

El Güero nació de Elizabeth López Vázquez y Vicente Acosta Rodríguez, ambos con varios concubinatos en el pasado y dos niños de herencia incierta. Ahora ella trabajaba en la Pepsicola de Sonora por un sueldo insignificante y él, albañil, apenas ganaba dinero. En la casucha que los reunía, tensas las relaciones domésticas, no había manera de levantar un remoto amor entre los cinco. A *El Güero* había que dejarlo suelto. Lo dañaba el abandono; también algún conato de protección.

Vicente se mostraba inmaduro, inestable, voluble. Podía ser amable y dos años de primaria le permitían un lenguaje que no era el del ras, el de sus compañeros sin una línea de lectura y un profesor de lo que fuera.

Era adicto a la mariguana y mascaba tabaco como chicle, la mandíbula batiente a lo largo del día, salivoso, desagradable. Con el primer dinero que ganó a la mala, el robo a mano armada, se compró una navaja sevillana. Oprimido un botón, la hoja de fierro saltaba, asesina.

Durante meses, Vicente se le había perdido a su madre y un día, por medio de un familiar, le llegó la noticia: su hijo había sido aprehendido y la policía lo trasladaba a la ciudad de México. La señora se cubrió el rostro con las manos, convulsa, el llanto en el cuerpo entero.

En la vida de Vicente, nadie había sido tan importante como Arturo, *El Mayo*, su compañero de correrías. Un día se le aproximó y lo invitó a un trabajo prometedor. Arturo era guardia de una empresa instalada en Sonora que buscaba gente joven y entrona, sin miedo a la vida ni estupor frente a la muerte. Pronto habría dinero, pero, de inmediato, exigencias. De aceptar la oferta, Vicente debería mantenerse en la oscuridad, igual que si lo hubieran sepultado en algún lugar inaccesible.

Vicente aceptó sin pregunta alguna. Le gustaba el dinero y quería ser alguien. Arturo le entregó entonces una tarjeta de teléfono y doscientos pesos. Le dijo que, sin tardanza, debería comunicarse con *El Boris*, radicado en Chihuahua. El número que le proporcionaba era el de su celular.

Vicente y su interlocutor hablaron poco, pero lo suficiente:

—¿Cuántos años tienes?

—Dieciséis.

—Estás muy morro.

—La voy a hacer.

Rogelio Morales Betancourt, *El Boris*, comandaba una célula que se hacía llamar *Gente Nueva*. Poseía ramificaciones, un organigrama y pertenecía al grupo armado de *El Chapo* en Chihuahua. Morales Betancourt tenía un poder pequeño y apenas imaginaba las alturas verdaderas. Su intermediario con hombres cercanos a Guzmán Loera se llamaba Noé Salgueiro, *El Flaco*.

Gente Nueva tenía instrucciones precisas: localizar rápido y ejecutar de inmediato a Juan Pablo Guijarro Fragoza, *El Mónico*, jefe regional de *La Línea*, organización enfrentada con los leales de *El Chapo*.

El 11 de octubre de 2010 la PGR publicó en el *Diario Oficial de la Federación* un acuerdo en el que ofreció una recompensa de quince millones de pesos a quien ayude a capturar a narcotraficantes, entre ellos a Guijarro Fragoza.

Lluvia Meléndez Elizondo conoció a *El Boris* en un antro y en la lumbre de la primera caricia se hicieron novios.

Desde el primer momento supo Lluvia que no se ligaba con un cualquiera. *El Boris* se dedicaba a la compraventa de automóviles, pero su tiempo real era para caballos españoles pura sangre, propiedad de *Gente Nueva* y, sobre todo, para *El Chapo*. A él debería cumplirle órdenes precisas que le llegaban a través de *El Flaco*.

No tardarían *El Flaco* y *El Boris* en verse como hermanos, tanto que a éste le atraía aquél como su guardaespaldas. Juntos se drogaban y en los momentos difíciles, en sus huellas, los de *Gente Nueva* se guarecían en el rancho El Blanco, perdido en la sierra, un punto minúsculo entre Parral y la ciudad de Chihuahua.

En el rancho, propiedad de Salgueiro, alguna vez tuvieron sus pistoleros la oportunidad de aproximarse a las maneras de *El Chapo*. Por el celular, Salgueiro lo escuchaba de pie, petrificado, apenas perceptible la respiración, los ojos sin movimiento, monosilábico el lenguaje.

En el cruce de caminos de los narcos, los hermanos Miguel y Julio Araiza trabajaban uno al lado del otro. Gatilleros de confianza de *El Boris*, hablaban acerca de su doble biografía criminal: "Sólo quince —decían—, pero entre los dos".

Todos adentro del narco, un papel estaba reservado para Raymundo Padilla Valencia, del decimoctavo regimiento de caballería motorizada, en Nogales. Técnico sobresaliente y oficial de méritos reconocidos, fue trasladado a Tijuana para adiestrar al personal militar en el uso de armas reservadas al Ejército. Pronto se corrompió y junto con los hermanos Araiza recibía los aviones cargados de mariguana en las pistas clandestinas del desierto El Altar, entre Caborca y Santa Ana, en Sonora. En su momento participaría en la guerra entre *Gente Nueva* y los de *La Línea*.

Un día determinado, la hora en su segundo preciso, los hombres de *El Boris* abrirían fuego contra sus adversarios jurados. Destrozarían a *El Mónico* y sus lugartenientes, enemigos de Guzmán Loera. De ellos no quedaría ni la piel. En cuanto a los militares de la Federal de Caminos que los acechaban, aunque fuera asunto menor, también los harían trizas. Los levantarían, les sacarían información y los ejecutarían al pie de sus vehículos, una vez desfigurados sus rostros.

Celular en mano, desde Chihuahua *El Boris* había respondido al llamado de Vicente. La organización lo aceptaba, pero antes debía cumplir con algunos requisitos. El primero, un número de cuenta bancaria para depositarle algún dinero que le permitiera atender gastos menores y trasladarse a Chihuahua. Vicente ofreció el número de cuenta de su madre.

La engañó, sin escrúpulo. Le dijo que un señor lo había contratado para limpiar hierba en un rancho lejano. Tendría que viajar y el dinero le representaba lo mismo que la comida, la vida posible. Resueltos los trámites, *El Boris* informó a Vicente que tenía a su disposición diez mil pesos en la cuenta materna.

Al llegar a la terminal de camiones de Chihuahua, lo esperaba Humberto Terrazas, *El Beto*. Había órdenes que atender. Vicente debería presentarse con *El Boris* correctamente vestido. Era un modo de ser entre los hombres de *Gente Nueva*. Una buena ropa apartaba la atención de policías y militares.

En una casa de seguridad, propiedad de José Jiménez, tuvo lugar la primera conversación entre *El Boris* y Vicente:

—Trabajarás como sicario.

—¿Sicario?

—¿No sabes?

—No.

—El sicario mata por encargo. Nosotros decimos a quién matas y tú matas sin compasión.

—No sé disparar.

—Aprenderás a cargarte gente.

Vicente aprendió, pero mató sin saber qué mataba. No se mata a un desconocido, a un bulto. Se mata a sabiendas, al que le ves la cara. En una de ésas hasta se habría cargado a *El Mónico*. Matar es oler.

Consta la historia aquí relatada en la denuncia de hechos suscrita y ratificada por Carlos Patrón Guevara, cabo de infantería del Ejército mexicano; Edgar Luis Arrieta, soldado de infantería; Hugo Escobar Mora, Elfego Vite Castillo, Raúl Juárez Cortez, Elías Senón González y Francisco Aranda Martínez, pertenecientes al vigesimotercer batallón de infantería, con sede en la ciudad de Chihuahua.

El 23 de septiembre de 2009, a las dos y media de la madrugada, se recibió una llamada anónima. Informaba, escueta, que en el Fraccionamiento Hacienda Etapa II circulaban varios vehículos con gente armada.

Movilizados y ya en las calles del fraccionamiento, los militares observaron tres vehículos en línea. Al percatarse sus tripulantes de la presencia de soldados, se dieron a la fuga. Una camioneta, la última del convoy, frenó violentamente ante la casa marcada con el número 5328 de la calle Hacienda de Santa Cruz. En segundos descendieron del vehículo dos sujetos amenazantes con armas blancas. Ante los rifles y pistolas se supieron perdidos, pero aún tuvieron energía para correr al interior de la casa y ahí se encerraron. Los soldados derribaron la puerta y ordenaron a los sospechosos que dejaran su frágil refugio con las manos en alto.

Ahí mismo, en la casa de seguridad, los militares interrogaron a Raymundo Padilla Valencia. Fue claro el oficial de alto grado. Pertenecía a *Gente Nueva*, comandada por *El Boris*. Junto con sus compañeros lo agarraron a punto de salir a hacer un "trabajito".

Los soldados registraron la casa. En la parte alta encontraron a *El Boris*, el jefe, inútilmente pertrechado. Dijo que colaboraba bajo el mando de Noé Salgueiro, *El Flaco*, cercano a *El Chapo* Guzmán Loera. A éste no lo conocía pero se adhería a él hasta los huesos. En la inspección incautaron toda suerte de armas, cargadores, cartuchos, paquetes de cocaína, radios de comunicación, celulares y una camioneta gris BMW, blindada. En su interior localizaron seis láminas adheribles con las leyendas "Procuraduría General de la República", "SIEDO", y "PGR".

Vicente Acosta López fue turnado por el Ministerio Público de la Federación a la autoridad competente bajo el expediente PGR/SIEDO/UEIDCS/344/2009, oficio CGC/6917/2009, como un activo de la delincuencia organizada: autor de delitos contra la salud, en la modalidad de venta del estupefaciente llamado clorhidrato de cocaína. Fue autor, también, de violación a la Ley

Federal de Armas de Fuego y Explosivos y, además, de posesión de armas de fuego del uso exclusivo de las Fuerzas Armadas. Ingresó en la Escuela de Rehabilitación Social para Menores Infractores José María Morelos y Pavón.

"Soy sicario", contestó cuando se le interrogó acerca de su oficio. Nervioso, en una segunda respuesta pidió que se le anotara como "lavador de autos, trabajo que en verdad desempeñé alguna vez".

En la escuela José María Morelos y Pavón, médicos y psiquiatras estudiaron a Vicente. Su diagnóstico oscurece el futuro:

"Trastorno antisocial de la personalidad. Falso sentido de remordimiento".

Las armas incautadas a *Gente Nueva*, según la fe e inspección practicadas por el agente del Ministerio Público de la Federación, licenciado Ricardo Ramírez Cortés, adscrito a la Unidad Especializada de Investigación de Delitos contra la Salud, el día 24 de septiembre de 2009, formaban un variado arsenal.

Había una Parabellum, de "las 45 que tumban", pistolas automáticas y semiautomáticas, fusiles también automáticos y semiautomáticos, un fusil francotirador como no lo hay más poderoso —con alcance de dos kilómetros—, y miles de cartuchos de tipo normal y de percusión central.

Al muestrario criminal tenían acceso menores de edad y aun niños que irían aprendiendo a matar.

La lista de armas, de la que dio fe el licenciado Ramírez Cortés, fue la siguiente:

- Pistola calibre 25 mm, automática, marca Raven Arms, con matrícula borrada, modelo MP25, Estados Unidos, con funcionamiento semiautomático.
- Pistola calibre 9 mm, Parabellum marca Pietro Beretta, matrícula H36776Z, modelo 92FS, Italia, semiautomática.
- Pistola calibre 10 mm, marca Colt, matrícula 70G78948, modelo Government, Estados Unidos, semiautomática.
- Pistola calibre 45 mm, con marca, matrícula y modelo borrados, España, semiautomática.
- Fusil calibre 7.62 X 39 mm, marca Norinco, con matrícula borrada, modelo 565-1, China, semiautomático.
- Fusil calibre 7.62 X 39 mm, marca Norinco, con matrícula 94102442, modelo Mak-90 Sporter, China, semiautomático.
- Fusil .308 (7.62 X 51 mm), marca Century Arms, sin matrícula y modelo a la vista, Estados Unidos, semiautomático.
- Fusil .308 (7.62 X 51 mm), marca Springfield Armory USA, matrícula 12213, modelo SAR-8 Sporter, Grecia, semiautomático.

- Fusil .308 (7.62 X 51 mm), marca Federal Arms, matrícula 0013432, modelo FA91, Estados Unidos, semiautomático.
- Fusil .308 (7.62 X 51 mm), marca Century Arms, matrícula C56871, modelo Cetme Sporter, Estados Unidos, semiautomático.
- Fusil .308 (7.62 X 51 mm), marca HK Inc., matrícula 044740, modelo KK91, Estados Unidos, semiautomático.
- Fusil .308 (7.62 X 51 mm), marca JLD Enterprises, matrícula SNB1511, modelo PTR-91P, Estados Unidos, semiautomático.
- Fusil .308 (7.62 X 51 mm), marca Springfield Armory, matrícula 099040, modelo SAR-8 Sporter, Grecia, automático.
- Fusil .308 (7.62 X 51 mm), marca FN Herstal, matrícula 319MP03240, modelo FNAR, Bélgica, semiautomático.
- Fusil calibre 9 mm (9 X 19 mm), marca Calico, matrícula E002909, modelo M900, Estados Unidos, semiautomático.
- Fusil .50, marca Barret Firearms MFG Inc., matrícula borrada, modelo M107, Estados Unidos, semiautomático con bipié.
- Treinta cartuchos 9 mm de varias marcas, con tipo de bala normal y de percusión central.
- Cien cartuchos .38 súper, marca Win, con tipo de bala normal y de percusión central.

- Ocho cartuchos 10 mm de varias marcas, con tipo de bala normal y de percusión central.
- Ciento ochenta cartuchos calibre .40 de varias marcas, con tipo de bala normal y de percusión central.
- Ochenta y tres cartuchos calibre .45 automático de varias marcas, con tipo de bala normal y de percusión central.
- Cuarenta cartuchos calibre .50 marca FNB de tipo de bala normal y de percusión central.
- Mil trescientos setenta y cuatro cartuchos calibre 7.62 X 39 mm, de varias marcas, con tipo de bala normal y expansiva y de percusión central.
- Seiscientos ochenta cartuchos .308 (7.62 X 51 mm), de varias marcas, con tipo de bala normal y expansiva y de percusión central, siendo un total de 2495 cartuchos.
- Un cargador metálico para arma de fuego calibre .25 automático, en regular estado, el cual es usado normalmente en armas de fuego tipo pistola.
- Un cargador metálico para arma de fuego calibre 10 mm, en regular estado, el cual es usado normalmente en armas de fuego tipo pistola.
- Un cargador metálico para arma de fuego calibre 45 mm, en regular estado, el cual es usado normalmente en armas de fuego tipo pistola.
- Quince cargadores metálicos para arma de fuego calibre 7.62 X 39 mm, en regular estado, los cuales son usados normalmente en armas de fuego tipo fusil.

- Cincuenta y ocho cargadores metálicos para arma de fuego .308 (7.62 X 51 mm), en regular estado, los cuales son usados normalmente en armas de fuego tipo fusil.
- Dos cargadores metálicos para arma de fuego calibre .50 en regular estado, los cuales son usados normalmente en armas de fuego tipo fusil, sumando en total, setenta y ocho cargadores de diferentes marcas y calibres.

El 29 de diciembre de 2010, la Policía Federal informó sobre la detención de trece integrantes de *Gente Nueva* durante un enfrentamiento realizado en Durango. Señaló que el grupo delictivo está relacionado con el cártel de *El Chapo* Guzmán. Se les decomisó un arsenal de similar potencia y equipo táctico.

La Fiscalía General reportó la detención de nueve personas, en el domicilio ubicado en la calle Ignacio Zaragoza 413 del poblado Cristóbal Colón, donde se aseguraron varias granadas de fragmentación y un fusil Barret 500 (este último me hizo pensar en combatientes, en una guerra, se trataba del tipo de fusil francotirador de gran alcance, calibre 12.70 mm, fabricado en Estados Unidos).

En cuanto a la fe ministerial practicada por el agente del Ministerio Público de la Federación adscrita a la Unidad Especializada en Investigación de Delitos contra la Salud de la Subprocuraduría de Investigación Especializada en Delincuencia Organizada (SIEDO), se hizo constar la existencia de veintinueve paquetes de diferentes tamaños, de forma rectangular, confeccionados en plástico transparente autoadherible, papel carbón, cinta canela y plástico transparente, conteniendo una sustancia en color blanco, de olor penetrante, con las características físicas de la cocaína, con un peso bruto total de 12.760 kilogramos, marcados para su identificación con números que van del uno al veintinueve.

Germán Isaú Osorno Manuel

Germán Isaú nació el 1° de julio de 1993 y ya en los albores de 2001 se inició como delincuente. Dormía en Desierto de Gobi 4594, colonia Hacienda Las Torres, en Ciudad Juárez. La casa quedaba cerca de un terreno baldío, refugio de niños abandonados como él.

Isaú comenzó en una esquina. Ahí fue observando los ires y venires de la gente, conociendo sus hábitos y rutinas. Con el tiempo supo a quién podía asaltar y a quién no. Se hacía fuerte con una navaja de acero largo.

Ganaba poco, como sus compañeros, y quería más. Con algunos de ellos se hizo de su propia arma de fuego, elementales la madera y un tubo. Además, con latas de cerveza, pólvora y clavos, tuvo en sus manos rudimentarias bombas molotov. Temible, ahora podía asaltar casas y las asaltaba; podía robar automóviles y los robaba. Aprendió a manejar, firmes en el volante sus manos de nueve años y bien sentado sobre cojines altos para atisbar el camino por donde se internaba.

La vida estaba de su parte y dio otro paso, ahora importante. Un narco lo abordó en la esquina que a Isaú le pertenecía por derecho propio y le propuso que trabajara para él. El niño, ya no tan niño, iba por los doce, aceptó con una sonrisa que a lo mejor ya nunca lo abandonaría. Ahora el dinero sería dinero. Del traficante le atrajo la ropa y el mote con el que se le conocía, *El Nueve*.

El sol de frente, Isaú ascendió más, mucho más. *El Nueve*, que ya sabía con quién trataba, lo contrató como sicario, para terminar con algunas personas a las que nunca les vería la cara; lo que sí veía era el dinero que se le hacía llegar una vez tendido quien nunca debió respirar. Con el tiempo, Isaú pensaba que podría tener sus propios sicarios y matar por amor o por venganza, que no hay término medio en esos asuntos de sangre.

Asesinaba con indiferencia, sin frío ni sudor en las manos, sin dolor de estómago, sin un leve temblor en las piernas. Bajo la claridad del cielo se sentía seguro. Sin embargo, por las noches dormía mal, al asalto el diablo, jinetes sin cabeza y gatos negros.

El soldado de infantería Rogelio Pérez Pulido y el teniente José Antonio Álvarez Sánchez, informaron que el 24 de abril de 2010 detuvieron en la calle de Joaquín Pardavé, de Ciudad Juárez, un par de vehículos tripulados por sujetos sospechosos. Sorprendidos, fueron descendiendo del automóvil, Daniel Escobar Bonilla, alias *El Nueve*, José Luis Hernández Montañés, alias *El Gringo*, Gerardo Torres Estrada, alias *El Bocón*, Antonio Espinosa Reveles, alias *El Joto*, y el adolescente Germán Isaú Osorno Manuel, alias *El Jarocho*. Todos portaban armas de fuego. Daniel sujetaba una escopeta calibre 12 CA, marca Maverick; José Luis, un fusil calibre 7.62 X 39 mm, marca Norinco; Gerardo, un fusil calibre .223, marca Ruger; Antonio, una escopeta calibre 12 G, marca Winchester y Germán Isaú, una subametralladora calibre 9 mm, marca Ruger.

Llegado su turno, Isaú declaró ante el Ministerio Público que *El Nueve* fue quien lo contrató como sicario, le entregó armas, un radio, y le asignó a un compañero para que lo auxiliara en aquello que le hiciera falta.

Burócrata del crimen, Isaú disparaba sin saber a quién le daba, a veces después de rastrear a la víctima durante una semana o más. Ni los cuerpos miraba. Eran nada.

Roberto Manuel Pérez
y Víctor Mijael Zamudio

Roberto Manuel Pérez, *El Pollo*, y Víctor Mijael Zamudio, *El Mija*, agredían a quien se les cruzara en la calle, disponían de las muchachas que les gustaran y enfrentaban con desparpajo duelos definitivos. Si tuvieran lenguaje, explicarían que el prestigio les importaba por encima de la vida y el dinero.

Les gustaba que los miraran y a costa de lo que fuera, estaban decididos a llamar la atención de los de traje, señores que se aparecían por las zonas de Tepito para contratar "sicarios". No sabían de la palabra, pero sí de su ritmo interno: matón a sueldo, matón de veras, matón de huevos.

El Pollo y *El Mija* tenían sus héroes. Se trataban de *El Chapo* Guzmán y *El Mayo* Zambada, consagrados en el mundo del hampa porque los buscaban sin agarrarlos. Sabían acerca de *El Chicharito* Hernández, y sobre él hablaban en sus monosílabos. Pero el futbolista pertenecía a otro reino, de medio pelo.

Llegaron a la mayoría de edad contratados para matar y con la posibilidad de disponer de mujeres hasta perder la respiración entre sus piernas. Fueron capturados y en la averiguación FMH/34/T2/151/09-08 D01 consta que, fechorías y desmanes aparte, se habían cargado mínimo como a doce.

Bernardino Domínguez

A Bernardino Domínguez le decían *El Bistec*, un pedazo de carne, hombrecito de trece años, treinta kilos de peso y una estatura por debajo del metro cuarenta. No obstante, era temible. Se sabía que los tenía bien puestos y manejaba la pistola como un campeón. A nadie habría sorprendido que le ofrecieran un trabajo serio: la muerte de *El Dientón*.

No se trataba de un matón cualquiera. En la oscuridad de su biografía aparecían cinco sicarios liquidados con despliegue de violencia. *El Dientón* operaba una red de distribuidores de droga al menudeo, protegido por cuatro guardaespaldas que no se le apartaban. Representaba mucho dinero y había que cuidarlo.

El Bistec recibió una suma por adelantado y una Beretta 9 mm de novecientos gramos de peso. No necesitaba más. Igual que un asesino profesional, la sangre helada, despejada la mente, sin un movimiento de más, se apostó a unos cincuenta metros de la casa de *El Dientón*. Esperaría, paciente. En algún momento asomaría a la luz el cuerpo sin alma de un sujeto que estaba de más en la vida.

Los sucesos respondieron a las previsiones de *El Bistec*. Apareció el rostro de *El Dientón*, despreocupado, sonriente, sin sospecha de su propia tragedia, y en ese mismo momento cayó fulminado por disparos certeros. Delfino Cifuentes, su guarura fiel, pretendió vengar a *El Dientón* y sólo cumplió con su inescrutable destino. Un transeúnte que pasaba por ahí también cayó, abatido sin remedio. *El Bistec* no toleraría testigos.

En ese punto, Bernardino Domínguez corrió con suerte adversa. Hubo quienes lo vieron, identificaron y denunciaron a la autoridad. En su condición de menor de edad, fue remitido a una correccional para su rehabilitación.

Salió a los nueve meses. Nunca se supo quiénes propiciaron su fuga, si los de adentro, los de afuera o juntos los de adentro y los de afuera. El hecho es que *El Bistec* desapareció del mundo de los que hacen ruido.

Israel Gutiérrez

Fue "campana", de aquí para allá, distribuidor de droga en las zonas bajas de Iztapalapa. A los trece años se inició como sicario y supo en poco tiempo que ya no se mataba como antes. Ahora el sicario se elevaba sobre todos, profesional del crimen. El matón quedaba atrás, rebasado.

Sabría Israel Gutiérrez, *El Pelón*, que la saña carecía de sentido al momento de matar, como carecía de sentido la brutalidad sobre el cadáver para manosearlo en busca de lo que fuera.

El sicario representaba la modernidad, la nueva ola. La muerte debería responder a un gesto frío y un tiro seco. Se trataba de un ritual innovador, limpio.

En el velorio de *El Pelón* no hubo luto. Su madre, vestida de amarillo, sabría de qué manera comportarse, tranquila, en paz. Los compañeros y amigos de *El Pelón* se le aproximaban y le decían que su hijo estaba donde debía estar, cercano a Dios. En esas horas no hubo oraciones ni el murmullo de las conversaciones que se mantienen en voz baja, respetuosas. El espacio correspondía al rock y al giro envolvente de los bailadores eternos.

El Pelón perteneció al grupo criminal conocido como *Los Desechables*. Los domingos se daban una vuelta por la iglesia y los viernes llegaban al templo más cercano para marcarse la frente con las líneas grises e infinitas de la cruz. Después, encendían las calles del barrio con las estridencias que tanto les gustaban y tiraban cohetes hasta que se acababan.

Juan Ruiz Silva

Juan Ruiz Silva sintió la quemazón en la espalda y la cintura, dos fogonazos que buscaban su muerte. Una hora antes, en el barrio de La Merced, había tendido a *El Satán*, sin compañía en la vida, sin nombre siquiera. De una puñalada le había atravesado el cuello.

Juan, *El Chayote*, arrastraba la existencia cerca de su abuela, que lavaba y planchaba ajeno. El albergue común era un milagro de ingeniería, treinta metros cuadrados que integraban la sala, la cocina, el comedor, el hoyo pestilente, cuartuchos donde se hacinaban las tías y los primos, diez por lo menos. Juan fumaba mariguana, cigarro tras cigarro. Le gustaba y apagaba el olor de la mierda.

El Satán le había dado la fama y la fuerza que necesitaba para sobresalir. Desde que lo contemplara a sus pies, desangrado y con los ojos fijos, asustados, *El Chayote* se supo distinto. Dueño de una historia personal, confiaba en un golpe de suerte que enderezara para siempre el árbol torcido de su vida.

Atado a un rencor que lo martirizaba, vivía en guardia. Tres años atrás habían cazado a su hermano. *El Chayote* se sintió obligado a la venganza y fundó su propia pandilla. *Los Fierros*, la llamó. Algo ganaban sus integrantes, proveedores de droga en un barrio marginal de La Merced.

En 2007, cumplidos quince años, fue contratado como sicario a diez mil pesos por muerto, caro. Aprendería a disparar y haría suya la disciplina del trabajo. El negocio fue claro, sin confusión: un índice omnipotente le señalaría a la víctima y una mano omnipresente le entregaría puntualmente el dinero pactado.

Un día especial, ya a los diecisiete años, mató a cuatro. "De un tirón", decía.

En la colonia vecina vivía Rubén, *El Bastardo*, de trece años y también criado por la abuela. Trabajaba con *Ruiseñor*, su revólver calibre 38. Por muerto, cobraba cinco mil.

El Bastardo llamaba la atención por sus ojos claros, los labios frescos, la nariz recta y una piel sedosa que aun de lejos sugería el amor. Si la paga era buena, no se resistía a una invitación comedida.

Ahora Juan y Rubén comparten a diario su desgracia. Detenidos en la ruta del homicidio, los identifica la miseria de origen. Fueron "campanas" al servicio del crimen organizado en el barrio de La Merced y ascendieron de la mano de sus tutores, sicarios mayores. De ellos esperan que los saquen de la cárcel para continuar en el trabajo que rumian, que sueñan.

4. Los abusos del poder

"Conmigo no se juega"

La historia responde a la brutalidad de nuestros días. La escuché de su protagonista, terapeuta clínica de uno de los súper lujosos hospitales del sur de la ciudad de México. Directa, me contó en primera persona:

"El pasado 12 de marzo di cita a la señora Josefina Flores. Nos veríamos el 14 a las 19:40 horas. En su llamada por teléfono había percibido un lenguaje lloroso, alta y baja la respiración de la señora.

"A la hora y día acordados se presentó en el consultorio. Iba acompañada de un niño. Las lágrimas resbalaban libres por su cara y continuamente se llevaba el pañuelo a la nariz. Era delgada, atractiva, vestida con lujo.

"Me habló de su hijo, Juan Pablo, de nueve años. La criatura vivía con miedo. La madre aludía a sus estados de ánimo, deprimido del día a la noche.

"Juan Pablo no quiere ir a la escuela y cuando va, llora. Lo siento muy solo. Todo el tiempo quiere estar a mi lado y cuando no puede acompañarme, se encierra en su cuarto y se esconde bajo la cama. En el sueño, empapa las sábanas.

"—No pierda la calma, señora.

"—Me siento triste, angustiada, muy mal.

"—Cuénteme.

"—Todo empezó el día en que mi marido me avisó que tendríamos guardaespaldas. Yo le dije que eso no era para nosotros, pero él se sostuvo en su decisión. Me dijo que no había de otra, que las cosas se estaban poniendo muy difíciles en la calle, que había más asaltos, más robos, más crímenes. A Juan Pablo le dijo que tendría sus propios guardaespaldas, pendientes de él hasta en la escuela. Desde entonces, doctora, el niño llora. Es otro.

"Terminado el tiempo de la consulta, mi secretaria la citó para el día 18, a las 19:40 horas".

"El 18 trabajé con el niño, tranquila. Su madre permanecía en la sala de espera, mientras yo me adentraba en el drama de la criatura con la naturalidad a que nos obliga la terapia.

"—Yo soy Amelia, ¿y tú?

"—Juan Pablo.

"—¿Cómo te sientes conmigo?

"—Bien.

"—¿Sabes quién soy?

"—No sé.

"—¿Adónde te dijo tu mamá que te traería?

"—No sé.

74

"—¿Te gusta jugar?

"—Sí.

"—¿A qué?

"—No sé.

"—En estos cajones tengo muchos juguetes y juegos de mesa. Vamos a ver si alguno te gusta.

"—Sí.

"—Acércate a los cajones.

"Juan Pablo se hizo de un juguete, un 'temblink meskeys' y simplemente lo retuvo en las manos. Le expliqué cómo se jugaba y él me miraba indiferente. Le pregunté entonces por sus papás, las caricaturas, la televisión. Juan Pablo apenas respondía: 'Sí', 'no', 'no sé'. El silencio.

"Terminada la consulta, cité a la madre para un día cercano a las 19:40 horas, como siempre."

"Quince minutos antes de la cita bajé al estacionamiento del hospital por unos documentos que había olvidado en el automóvil. El hospital es para gente muy rica y estoy acostumbrada a los alborotos de los choferes y los guaruras. Pero ese día me sorprendió advertir que un grupo compacto, de unos ocho, acompañaba a la mamá de Juan Pablo y a quien supuse era padre del niño.

"Ya en el consultorio observé, cuidadosa, a quien era, efectivamente, papá de Juan Pablo. Alto, fuerte, cerrado el bigote, vestía pantalón de mezclilla y una camisa de cuadros rojos. Del pecho semidescubierto pendía una cadena de oro que remataba en una imagen de la Virgen de Guadalupe. Vi también, en la muñeca izquierda del sujeto, el oro grueso de una esclava.

"Sin tomarme en cuenta, sin una mirada así fuera de soslayo, hizo suyo el pequeño cuarto de la terapia en tanto sus guaruras aguardaban a unos metros de distancia.

"Con la voz del que manda, porque el mundo es así, hecho para los que mandan, me dijo:

"—Necesito otro horario para las consultas de mi hijo, doctora —enfáticas, distanciadas unas de otras las tres sílabas del sustantivo.

"—Lo siento mucho. Las 19:40 es el único horario que tengo disponible.

"—¿Es que no entiende?

"—El que parece que no entiende es usted.

"—No le estoy preguntando. Cámbieme de horario.

"—Ya le dije que me es imposible.

"—Voy a pagarle lo que quiera.

"—El problema no es de dinero.

"Me miró de arriba abajo y ordenó a su esposa, a su hijo y a sus guaruras: 'Vámonos'.

"Otro día el señor me llamó de nuevo. Me ofreció disculpas y lo sentí vulnerable. Me pidió una nueva cita.

"—Ha de saber, doctora, que mi hijo es lo que más quiero en el mundo y le ruego que me dé un nuevo horario.

"—No me es posible.

"—Cómo —sentí su grito a punto, preparada hasta para la ofensa. No obstante, le dije:

"—Así, simplemente así. No puedo.

"Había llevado consigo un portafolio que mantuvo junto a sus pies y ahora lo colocaba sobre mi mesa de trabajo.

"—Cóbreme lo que sea.

"—No es problema de dinero, ya le dije.

"Abrió el portafolios, acomodados en su interior los billetes.

"—Agarre.

"—Abandone mi consultorio.

"—Agarre, le digo.

"—Cierre el portafolio.

"—No puede hacerme eso. Mi mejor amigo me dice que es usted la persona indicada para atender a mi hijo.

"—Lo siento.

"—¿Es su última palabra?

"Asumí el silencio por respuesta.

"—Conmigo no se juega.

"Seguí hermética.

"—Piénselo.

" —Salga de mi consultorio.
" —Sabrá de mí, hija de la chingada."

Violación de los derechos humanos
por militares

Al paso del tiempo ha ido creciendo el expediente que consigna desmanes de los militares. Ha habido noticias de criaturas sacrificadas que paralizan, e indignación por la violación de niñas apenas con edad para el atentado brutal.

El 9 de noviembre de 2009, el presidente Felipe Calderón salió al encuentro de las denuncias que persistían en relación con la violación de los derechos humanos. Dijo que le cansaba la "cantaleta", término que convoca al menosprecio y a la mofa.

Éstas fueron las palabras del mandatario:

Saben que si los agarramos [a los grupos criminales], en primer lugar no los vamos a vejar, como muchas veces dicen. Aquí a cada rato vienen a decir que las violaciones a los derechos humanos por parte del Ejército, una serie de cantaletas que también ya empiezan a cansar, que no son ciertas, porque se respeta la dignidad de los criminales y se les pone ante un juez y todo.

Dijo también que los criminales asumen su reclusión "como un periodo de receso para ellos, porque además ahora resulta que se sienten cómodos en algunas cárceles".

El 1° de abril de 2008, por la tarde, dos automóviles circularon a toda velocidad por las instalaciones militares en Villa Aldama, Coahuila, y ya a tiro, las rociaron con balas. Soldados y oficiales del Ejército repelieron simbólicamente la agresión, perdidos los carros en la distancia.

Poco después y a bordo de su propio vehículo, las señoras Elida Arzate Contreras y Zaira Gabriela Arzate Contreras, madre e hija, llegaban al edificio militar en busca de auxilio. Tenían noticia de que uno de sus familiares había sufrido heridas graves bajo un fuego atizado por desconocidos.

Horrorizadas, la irracionalidad del mundo se les vino encima. Sin una seña, alguna advertencia, un grito crecido por algún altavoz, fueron recibidas a balazos, el puro plomo de los soldados que jalaban el gatillo igual que dementes. Madre e hija sabrían de la muerte en un segundo eterno. La jovencita la vería en su propio cuerpo y la sentiría en el de su hijo en gestación; la madre, en el ser amado que tenía al lado y al que se le iba el color del rostro.

El informe médico daría cuenta de que a Zaira Gabriela las balas le habían perforado el lado derecho del tórax, quebrado la columna vertebral, lacerado las vísceras torácicas y provocado al extremo un *shock* hipervolémico.

En el lenguaje liso de una deshumanizada naturalidad, el 20 de diciembre de ese mismo año, el parte militar dio cuenta burocrática del cierre de la historia:

Representantes de la Secretaría de la Defensa Nacional suscribieron un convenio con la señora Elida Arzate Contreras, madre de la agraviada, en el que respondieron subsidiariamente a la responsabilidad civil derivada de los hechos y le otorgaron una cantidad de dinero por concepto de indemnización por la muerte de su familiar y del producto de la concepción, así como por los gastos funerarios erogados.

Además, ese mismo día se suscribió otro convenio en el que consta que la Secretaría de la Defensa Nacional sustituyó a la agraviada el vehículo que resultó con daños materiales por otro de características similares.

El 12 de mayo de 2008, el soldado Moisés Sánchez Gil, del quincuagésimo primer batallón de infantería de la vigésimo primera zona militar en Morelia, Michoacán, disparó contra Iván García Cruz y Giovanni Fuerte Hernández, ambos menores de edad.

En compañía de Leobardo Fuerte Jaimes y de su pequeño hijo Giovanni, Iván se trasladaba en una camioneta al campo de tiro de la zona para recoger los desperdicios del rancho cotidiano de los militares.

Al llegar al sitio indicado y a punto de bajar del vehículo, Giovanni se llevó la mano al cuello. Algo le había rozado y sintió caliente la piel. Al mismo tiempo escuchó que Iván, en el asiento trasero del vehículo, se quejaba dolorosa, rítmicamente.

El padre de Giovanni advirtió que Iván tenía una herida en uno de los costados, a la altura del pecho, y que la sangre brotaba lentamente y se iba acabando. Temió la desgracia y pidió ayuda a militares que por allí andaban. Sin una palabra de más, le fue negado el auxilio. Debía acudir a la caseta de entrada de la zona militar. Ahí sería atendido.

Ya no dio tiempo. En el trayecto, Iván dejó la vida.

La Secretaría de la Defensa emitió el siguiente comunicado:

> La indagatoria [del caso] fue consignada ante el juez militar adscrito a la quinta región militar, quien instruyó una causa penal en la que, en su momento, se dictó auto de formal prisión en contra de ese elemento del Ejército mexicano.

> Los días 30 de agosto y 22 de septiembre de 2008, la madre de Iván García Cruz recibió de la Secretaría

de la Defensa Nacional un pago indemnizatorio por la muerte de su familiar y por los gastos funerarios erogados.

En la misma fecha, la autoridad militar otorgó un pago indemnizatorio por las lesiones causadas [a Giovanni Fuerte], entre las que se encuentra la disminución motriz en su miembro superior derecho.

Además, desde el mes de mayo de 2008 y hasta diciembre de ese año, recibió atención médica y de rehabilitación en el Hospital Militar Regional de Irapuato, Guanajuato, donde se le diagnosticó neuroplaxia del plexo braquial derecho y se le otorgó tratamiento médico y de terapia física consistente en corrientes interferenciales, electroestimulación y ejercicios de reducción muscular, a fin de fortalecer los músculos afectados y buscar la recuperación neurológica.

María Teresa Cruz Torres firmó por ciento cincuenta y dos mil pesos y al verse con el dinero entre las manos, bramó enloquecida.

"¿Esto vale la vida de mi hijo?", encaró al militar que liquidaba la indemnización acordada por la Secretaría de la Defensa para los deudos de Carlos Iván García Cruz, de dieciséis años.

Eugenio García Torres, albañil, padre del muchacho y esposo de María Teresa, intentaba tranquilizarla. "Firmaste", le decía. Ella respondía que sí, que había firmado pero que de nada se había dado cuenta. Muerto su hijo, el dolor la había deshecho y anotó su nombre en el papel que le pusieron enfrente.

Además, el militar la había escupido con la palabra. Le había dicho que recibía un regalo de la Defensa, que su hijo era nadie, ella nada y que no siguiera por ahí porque la iba a pasar muy mal.

La tragedia ocurrió el 12 de mayo de 2008, en las instalaciones del Centro de Adiestramiento Básico de Infantería, cerca de Morelia. Los disparos salieron del fusil mortal de Moisés Sánchez Gil, con fama de mariguano. Iván cayó y Giovanni Fuerte Hernández, su compañero, de dieciséis años, fue herido también en una pierna, quizá baldado para siempre.

Según la señora Cruz Torres, el informe correspondiente de la Defensa confundió nombres y ocultó que a Mario Solano Mata, encargado de retirar los desperdicios del comedor de los militares, le habían dejado "un brazo seco". El proyectil también había surgido de la lejanía informe.

La señora Cruz Torres, su vida entregada a la reivindicación, urgida de castigo para el homicida, le dijo a Francisco Castellanos J., corresponsal de *Proceso* en Michoacán:

"A Ivancito le fascinaban los soldados. Cada vez que había un desfile, salía de la casa para verlos marchar. Le gustaban los tambores, las trompetas. Cuando terminaban su práctica, se les acercaba y les tocaba el uniforme. Ivancito quería ser soldado".

Luis Garfias Magaña

El trámite se ventila con helada naturalidad: abatido un inocente por militares, la Secretaría de la Defensa Nacional cubre la indemnización a los deudos y se hace cargo de los gastos inherentes a la tragedia, esto es, la atención a las víctimas colaterales, los recursos para el funeral y la restitución de los bienes dañados en la trifulca.

El alcance de la indemnización lo determina la Defensa en una decisión sin réplica posible. Pero no sólo eso: del drama se apodera de manera íntegra, sin intervención alguna del Ministerio Público, inexistente la ley civil frente al fuero militar. Por lo que hace a los militares homicidas, sometidos al cuartel, resulta claro que carecen de voz al exterior.

Conversaba sobre el tema con el general de división Luis Garfias Magaña. Nos obligaban a la franqueza las imponderables razones de la vida. Estuvimos juntos en el Instituto Bachilleratos, dirigido por jesuitas, y habíamos compartido las vivencias de una juventud temprana. No me sorprendió su crítica al presidente de la República, tampoco oírle decir que podría juzgársele

por su desempeño en la campaña contra el narcotráfico. Sus palabras respondían al peso de los inocentes
caídos sin cargo ni cuentas con persona alguna.

Atenido al tiempo, el general, en el tono lento de
una reflexión muy trabajada, dijo:

—Alguien tendrá que hablar por ellos.

—Ellos, dices. ¿Hablas de los inocentes muertos?

—Sí, de ellos hablo.

En su casa, apenas en noviembre, recordábamos Luis
y yo el día aquel en que el prefecto del instituto, el
padre Meza, lo había llamado a su oficina casi en se-
creto. Era importante el asunto que debía tratar con
su discípulo. En la voz susurrante de la confidencia,
el sacerdote le dijo que advertía en él los signos claros
del llamado de Dios y lo invitaba a que ingresara en la
Compañía de Jesús. Había que cumplir, eso sí, con el
triple y sagrado compromiso que imponía la orden
fundada por Ignacio de Loyola: voto de pobreza, voto
de obediencia y voto de castidad.

Posesionado de su historia, platicaba Garfias:

"Me vio fijo, Julio, ya sabes cómo era Meza. No
me quitaba los ojos, igual que si me hurgara. Yo tuve
un momento de turbación sin saber qué hacer ni qué
decir. Sin embargo, me sobrepuse y pude responder-
le: 'No tengo inconveniente, padre, en cumplir con el

voto de obediencia, tampoco con el voto de pobreza, pero el voto de castidad es otra cosa'".

Conversábamos en la estancia de su casa, en la sección militar de la Segunda Colonia del Periodista, rodeado el divisionario de diplomas, condecoraciones y señaladamente dos fotografías de su padre, oficial de veras, al lado de Francisco I. Madero. Sensible, me condujo por sus memorias del Colegio Militar, libros y más libros, códigos y más códigos. Señaló a Napoleón y a los grandes generales de la historia, también a Miramón. "No se le ha hecho justicia", comentó. En los pasos lentos del recorrido, sentí en Garfias la añoranza de una vida que se aproxima a los ochenta años.

De vuelta a la comodidad de dos sillones, volví al tema que me había llevado con el amigo de una época difícil de olvidar. Se trataba de las víctimas inocentes de la guerra que perturba al país.

"No es guerra, es campaña —me corrigió—, dolorosa, amarga."

Pasé por alto su momentánea contrariedad e inquirí directamente por el trato que debería dársele a los deudos de crímenes infames y, en particular, las indemnizaciones otorgadas al arbitrio de la Defensa.

Grave su rostro, dijo sin ambages:

"El tema es delicado y no hay una línea en el lenguaje militar que se ocupe de asunto tan sensible. Los muertos de que hablamos, casi siempre debidos a accidentes, ocurren sobre todo entre personas humildes. A ellas habría que ofrecerles un alivio y la garantía de un derecho que no podría ser discutido".

¿Cómo valorar una vida? No hay manera, nos decíamos, la vida es el cielo y la tierra unidos en un instante que será para siempre. Pero el problema podría aliviarse con una pensión vitalicia y digna, ajena a cualquier traba burocrática. "Expedito", debería anotarse en el legajo que correspondiera a una muerte inicua.

Sin soltar el tema, el general Garfias siguió con el recuento de los más de treinta mil muertos que ya ha dejado la campaña en nuestro país y los relacionó con otros escenarios. La comparación resulta sencillamente brutal.

Dijo Garfias:

"En España, todas las muertes provocadas por grupos terroristas en los últimos cincuenta años, sumadas, son menos de las que ha habido en México durante los cuatro años pasados. Increíble. Si contamos todos los muertos de la ETA en España, el ERI en Irlanda, el Baader-Meinhof en Alemania, las Brigadas Rojas que mataron a Aldo Moro, Sendero Luminoso, los tupamaros, los montoneros, suman menos que los treinta mil en México".

Visto el panorama que describía, le pregunté si se asumía como partidario de la suspensión de las garantías individuales en el territorio nacional.

"Absolutamente", respondió, el adverbio emitido con la fuerza de una exclamación.

Sigue el general:

"No tendría sentido pensar en una suspensión de garantías que afectara a la República entera. La suspensión de garantías podría decretarse en un municipio o localidad pequeña que perdió hasta el hábito de vivir. Si el crimen se impone en la vida cotidiana o imprime hasta modos de ser y de conducta, algo hay que hacer para enfrentar semejante terror. Correspondería al presidente de la República asumir decisiones drásticas".

—O sea, la suspensión de garantías.

—Cubiertos la letra y el espíritu de la Constitución, movilizados los poderes en un solo propósito, aprobada la iniciativa por el Congreso o, en su defecto, la Comisión Permanente, el Ejecutivo cumpliría con su deber en la época difícil que vivimos.

—En tu lógica, ¿por qué no se aplica la medida?

—Debilidad o miedo.

—Sería lo mismo. Pero ¿miedo o debilidad a qué?

—A la exhibición de una imagen negativa del país en el mundo.

—La mala imagen ya existe.

—Eso creo y no entiendo por qué estando la Constitución ahí, explícito el veintinueve constitucional*, éste no se aplica.

* En el artículo veintinueve de la carta magna se lee: "En los ca-

—Al iniciar la campaña contra el narcotráfico, el presidente declaró que sería responsable de los daños colaterales que su decisión pudiera desencadenar. ¿Qué opinión te merece el compromiso presidencial? —le pregunté.

—De haber aplicado el artículo veintinueve constitucional, que contempla la suspensión de garantías individuales, habría aliviado su responsabilidad.

—Volvamos, Luis, a los inocentes muertos. A causa de ellos, ¿podría juzgarse al presidente de la República?

—Debería juzgársele —reflexivo en el futuro el general agrega—: el asunto es muy grave, muy serio.

—Y al secretario de la Defensa, ¿debería juzgársele?

—Él recibe órdenes. Sin embargo, en el código te dicen que el militar no debe cumplir órdenes que configuren un delito.

_____

sos de invasión, perturbación grave de la paz pública, o de cualquier otro que ponga a la sociedad en grave peligro o conflicto, solamente el presidente de los Estados Unidos Mexicanos, de acuerdo con los titulares de las secretarías de Estado y la Procuraduría General de la República y con la aprobación del Congreso de la Unión y, en los recesos de éste, de la Comisión Permanente, podrá suspender en todo el país o en lugar determinado las garantías que fuesen obstáculo para hacer frente, rápida y fácilmente a la situación; pero deberá hacerlo por un tiempo limitado, por medio de prevenciones generales y sin que la suspensión se contraiga a determinado individuo. Si la suspensión tuviese lugar hallándose el Congreso reunido, éste concederá las autorizaciones que estime necesarias para que el Ejecutivo haga frente a la situación; pero si se verificase en tiempo de receso, se convocará sin demora al Congreso para que las acuerde".

—Luego, el secretario es cómplice.

—De alguna manera, sí.

—O sea, también debería juzgársele, como al presidente.

—Ya te dije. Sí.

Manuel Buendía

En esta época en la que corre el hostigamiento y la muerte de periodistas, alarmado y dolido con justa razón el gremio consagrado a la información, Luis Garfias recordó a Manuel Buendía a propósito de nuestro tiempo escolar. Nos conocimos, los tres, en el Instituto Bachilleratos.

Más allá de las remembranzas del general, el pretérito cobró toda la fuerza de la evocación. Buendía encara una doble personalidad: sus días de periodista corrupto y aquellos en los que avanzaba en su reivindicación pública. Fue el momento en que la Dirección Federal de Seguridad, sobresaliente Buendía, lo abatió a tiros.

Luis trajo a cuento que mi hermano Hugo, Buendía y yo, hacíamos un periódico de circulación escolar.

—El periódico era nada —le dije.

—A lo mejor —respondió, la sonrisa ancha—. Pero a muchos nos gustaba.

La memoria se abrió al tiempo aquél. Hugo, mi hermano mayor, daba las pautas de los números quincenales, yo cubría la información general y Buendía se ocupaba de la columna "caliente" del periódico. Era la suya la voz de los alumnos, sus enconos con los maestros, la protesta por calificaciones erradas, los castigos injustificados, la preferencia por alguno de nuestros condiscípulos inscritos en la "apostólica", el semillero jesuítico, el primer escalón de la escalera que los llevaría a Dios.

Buendía y yo estudiábamos en el mismo salón, a mitad de la secundaria. Provenía Manuel de un seminario en Michoacán y a todos nos deslumbraba con su conocimiento del latín. Declinaba los sustantivos como un pontífice —*rosa, rosa, rosae, rosae, rosarum*— y se daba el lujo de soltarnos parrafadas en griego, sonoros el alfa y la omega.

No había quien hubiera podido imaginar el destino que le aguardaba, extremosa su biografía. Fue un periodista corrupto como director de *La Prensa* y, tiempo después, un columnista sobresaliente en la primera plana de *Excélsior*. No fue menor el servicio que le prestó a Regino Díaz Redondo, el traidor a su oficio. No faltaban quienes compraban el diario por la brillantez de la pluma de Buendía y la información que ofrecía, original, cáustica, atractiva como ninguna en su género.

Tuve noticia, hará un año, que Miguel Ángel Granados Chapa escribiría un libro sobre Buendía, a quien admira, respeta y quiere.

91

A Miguel Ángel le hice llegar un texto que había escrito sobre Buendía y que conservaba, silencioso, en el fondo de papeles desordenados. Pensé que podría serle de alguna utilidad en el trabajo que prepara.

El 30 de mayo de 1986 recibí el Premio Manuel Buendía, distinción que me unía a un periodista de biografía singular, así como a dos personajes que hasta el fin llevaré conmigo: Alejandro Gómez Arias y Francisco Martínez de la Vega.

Un día súbito, Gómez Arias, el carismático líder de la autonomía de la Universidad Nacional en 1929, retiró su colaboración semanal de las páginas editoriales de *Excélsior*. Yo le había pedido que aceptara sólo por veinticuatro horas el aplazamiento de su texto. La razón me parecía plausible. Se sucedían las jornadas previas al 2 de octubre de 1968 y don Alejandro aparecería en el diario junto con Rosario Castellanos. Las firmas simultáneas de dos personajes de ese prestigio, ambos furibundos contra el presidente Díaz Ordaz, me pareció que podrían interpretarse como un desafío inútil al gobierno. Don Alejandro no lo entendió así y me pidió que le devolviera su trabajo.

Por fortuna para mí, la vida cotidiana fue mucho más intensa que la relación profesional. Unos días antes de su muerte, apenas audible la voz del orador que sacudió a toda una generación, me dijo, ya en sus últimas energías:

"Visite a Tere [Teresa Salazar Mallén, su esposa]. Va a vivir muy sola".

Con el presidente José López Portillo, otra fue la historia:

En su afán por reducir a *Proceso* a la impotencia o propiciar su muerte, el día de la libertad de prensa de 1982, soltó su frase inefable: "No te pago para que me pegues".

Orquestada así la batida contra la revista, las fuentes de información del gobierno le serían cerradas al semanario y la publicidad, cancelada.

Francisco Martínez de la Vega, orador en la ceremonia a nombre de los periodistas, había condenado la satanización oficial de los medios impresos y solicitado de López Portillo un espacio para la reflexión. En el tiempo arbitrario de unos minutos, el Ejecutivo cerró la puerta a semejante posibilidad.

Pronto sabríamos en *Proceso* del viento fresco que llegaba a nuestra casa en Fresas 13.

Buendía había llegado alto con su columna "Red privada", publicada en la primera plana de *Excélsior* durante dos años y medio. Era claro para muchos que, impulsado por el éxito, se iría desvaneciendo la oscuridad de su pasado.

Director de *La Prensa* de 1960 a 1963, Buendía describía al presidente Adolfo López Mateos como a un político ejemplar. Los editoriales del tabloide transmitían una admiración por el mandatario que llegaba al despropósito. Eran de tal manera serviles las cuartillas, que se tenía por cierto que Humberto Romero, secretario particular de López Mateos, orientaba los textos cuando hacía falta. *La Prensa* llegó a difundir que la libertad de expresión en México era ejemplo en el mundo.

Sobran los casos de servilismo a los que se prestó el tabloide bajo la dirección de Buendía. Así por ejemplo: el 26 de mayo de 1960, una huelga de normalistas y maestros fue dispersada con la brutalidad de los granaderos. El diario se ocupó de la jornada y sostuvo que eran inadmisibles los actos de subversión provocados por muchachos y profesores tocados por el comunismo. En su encabezado del día, daba cuenta de un futuro seguro: "El gobierno no tolerará más alborotos".

Tiempo después de estos aludes de sumisión, Buendía firmaba textos notables en un *Excélsior* envilecido. Así, frente al 30 de mayo, el día del premio, se me impuso un dilema: no debía ni deseaba rechazar el homenaje, asesinado Buendía en el dolor del gremio que reconocía sus méritos. A la vez me sería imposible pasar por alto su colaboración en el periódico que Echeverría había conculcado para la libertad de expresión.

Dispuso el azar que, en los días de este libro, pudiera asomarme a rasgos por mí ignorados acerca de la personalidad del célebre columnista. El hallazgo se lo debo a la lectura del libro intitulado *Manuel Buendía, en la trinchera periodística*. El libro lo escribió Omar Martínez, presidente de la Fundación Manuel Buendía. Posiblemente, sin medir el alcance de sus palabras, exhibió de la peor manera a su admirado personaje.

Transcribo párrafos insólitos del presidente de la fundación:

Como directivo [Manuel Buendía] tampoco estuvo exento de ataques ante la prepotencia del poder político. Él fue un real impulsor de la carrera de Eduardo del Río, mejor conocido por *Rius*, quien entró a *La Prensa* en 1960. No obstante, se vería obligado a despedirlo dos años después frente al acoso de la censura gubernamental, que en ese tiempo era cotidiana e inclemente.

Por aquellos años, el director de *La Prensa* y *Rius* confeccionaban los textos y monos de una sección dominical titulada "Dominguito", cuyo estilo antisolemne atrajo numerosos lectores hasta que la intolerancia de un funcionario se interpuso en su camino. Lo más sorprendente, que incluso inquietaron a *Rius*, fueron las duras maneras de Buendía para comunicarle una decisión inesperada.

Rius, incluido en el libro de Omar Martínez, había contado:

Uno de esos días menos pensados que siempre hay en la vida, llegué por la tarde a entregar mi colaboración. Pasé a la dirección y me encuentro con un Manuel Buendía malhumorado. Después del saludo de rigor, deposito mi trabajo sobre su escritorio y Buendía, sin voltear a verme, me dice:

—Usted ya no trabaja en *La Prensa*. Pase mañana por la caja para que le paguen lo que se le debe. Puede irse.

Puse cara de "*¿juat?*" y le pregunté o creí preguntarle a qué se debía esa decisión tan gacha. Sin mirarme, Buendía me dice:

—Mire *Rius*, yo no tengo que darle explicaciones. Usted ya no trabaja aquí y punto.

Abrió un cajón de su escritorio y sacó una pistola que depositó sobre la mesa. Al ver eso se me desapareció la cara de "*¿juat?*" y salí con la cola entre las patas rumbo a lo desconocido.

Al pasar los días —continúa Omar Martínez—, el monero consideró que su despido se vinculaba con su quehacer como secretario de la Asociación Mexicana de Caricaturistas, en cuyo seno había denunciado las prácticas controladoras de Humberto Romero, jefe de prensa de la Presidencia. Por tal *atrevimiento*, el dueño del periódico, Mario Santaella, recibió una terminante instrucción de Los Pinos, que sería puesta en práctica por el director, Buendía, muy a su pesar.

En la esfera familiar, tras siete años de matrimonio, Dolores Ávalos y Manuel Buendía por vez primera reciben la visita de la cigüeña al nacer su hijo José Manuel el 25 de febrero de 1962. (Cinco años posteriores, en noviembre de 1967, llegaría Gabriela; y en junio de 1971, Juan Carlos.)

Pese al esfuerzo y entusiasmo invertido en el rotativo *La Prensa*, la cizaña no se hizo esperar cuando, a mediados de 1963, un falso rumor —la infundada versión de que Buendía y Manuel Zárate, presidente del Consejo de Administración, se proponían "derrocar" al director general y gerente, Mario Santaella— vino a fracturar la estabilidad de la cooperativa. Por dignidad, ambos Manueles renuncian en julio de 1963.

Así, al premio le daba vueltas y revueltas. Finalmente tomé una decisión: recibiría el diploma y pronunciaría un discurso breve sin alusión alguna al columnista de *Excélsior*.

El 30 de mayo de 1986, en el Salón Barroco de la Universidad Autónoma de Puebla, me limité a seis escuetos párrafos:

Hace casi diez años fui señalado con cargos infamantes, ladrón o cómplice de ladrones. Difundieron los actuales dirigentes de *Excélsior* que de la caja del periódico había desaparecido una fortuna y que yo, dueño de un poder ilimitado en la cooperativa, vejaba a los trabajadores dignos y honrados. El presidente Echeverría participó con todo su peso en la contienda y secundó la turbiedad de cargos indemostrables.

El 8 de julio de 1976, pasadas las cuatro de la tarde, junto con amigos y compañeros entrañables, salí de *Excélsior* para siempre. No imaginé entonces que reconstruiríamos el futuro imposible. Dueños sólo de nuestra decisión, en días oscuros e impredecibles empezamos desde cero. Ahora, ante ustedes, habría deseado que la palabra inefable les hiciera llegar el ánimo que me conturba y alegra. Sólo la voz del silencio podría transmitirles con fidelidad mi reconocimiento por su desprecio a la calumnia y por la confianza que externan en el trabajo colectivo del que formo parte en *Proceso*.

En un sistema como el nuestro, que a gala tiene el servilismo y la adulación al presidente de la República, es arduo y paciente el ejercicio de la libertad. Todo la pone a prueba. En la época del licenciado Echeverría, uno de sus secretarios más cercanos, Francisco Javier Alejo, llegó al extremo de afirmar que el prestigio del jefe de Estado es un problema de seguridad para el Estado. En lenguaje sin adornos esta teoría deja el campo abierto para matar. Se puede matar por razones patrióticas en salvaguarda del prestigio del jefe de la nación.

En tiempos del presidente López Portillo fue clara y directa nuestra discrepancia con él. Dijimos desde el origen de su sexenio que petrolizaba la economía con daños irreversibles para el país y denunciamos que llevaba la inmoralidad de su gobierno a niveles intolerables. No soportó nuestra crítica.

Con el licenciado Miguel de la Madrid nuestra relación tiene otro sesgo. Manuel Alonso, su hombre ante los medios de comunicación, me ha dicho que juzgar al presidente con crudeza es tanto como faltarle al respeto. Pienso que no. Que los hombres juzgan hasta el fondo, que la vida vivida de veras también para eso sirve. En el contrapunto del poder y la crítica sabemos hoy, sin que nadie nos lo haya enseñado, que el periodismo libre e independiente no necesita del poder para existir. Sabemos también que no ha nacido el hombre capaz de manejar un poder absoluto con honestidad.

Permítanme confiarles, para terminar:

Premio es vivir la vida con plenitud, hasta donde dé. Y da en la medida de uno mismo, pero sobre todo en la medida de los demás. No podría, pues, aceptar el premio a título personal. En nombre de mis compañeros y en el mío propio les expreso mi conmovida gratitud.

A *Rius* le pregunté si sus monos habían contado el agravio del que fue protagonista con Manuel Buendía.

En su brevedad, la respuesta fue explícita:

"No se me ocurrió, pero divulgué la historia".

Fernando Ventura Moussong

Florentino Ventura está en mi memoria y ahí permanecerá para siempre. Leyenda en la policía, me asomé a su intimidad en uno de esos momentos de borrachera y confidencias.

Tres parejas nos habíamos reunido en su casa: Carlos Mondragón, *El Dragón* (segundo hombre de Interpol México), y su señora; Florentino y María Cira, una mujer hermosa que le bebía la vida para devolvérsela de inmediato; Susana y yo.

Cira, mujer policía, esplendorosa para cualquier hombre, rasgaba la guitarra y cantaba:

"Florentino es hermoso y fuerte porque hermoso y fuerte lo hizo Dios y si Florentino se fuera adonde quiera que fuera, a diosito gritaría mi dolor.

"Florentino, Florentino, no hay hombre como tú, Ventura, que ventura es amarte, Florentino Ventura".

Observé a Florentino sin movimiento en el cuerpo y le pregunté, baja la voz:

—Vaya conflicto, Florentino, si un día tuvieras que elegir entre tu profesión y esta mujer que te canta como te canta.

Sentí sus ojos, ni siquiera su voz:

—La puta no vale cinco minutos de mi carrera.

Tiempo después me acosó la noticia inadmisible: Florentino había asesinado a María Cira, a María Olga

Treviño y había puesto fin a su propia vida con un disparo en la sien. Elías Orozco Salazar, amigo de Florentino, presente en la tragedia, había corrido lejos.

"Un hombre así no acaba de esa manera", me decía de quien fue director de la Policía Judicial Federal en tiempos del presidente Miguel de la Madrid; cercano Florentino como un hermano a Fernando Gutiérrez Barrios, éste en la inteligencia política y aquél a la caza de piezas grandes.

Una mañana que se me ofrecía como cualquiera otra, leí que Fernando Ventura Moussong, policía toda su vida, dictaría una conferencia en el Instituto Nacional de Ciencias Penales, al que pertenecía. Me propuse una conversación definitiva con el primogénito de Florentino. Los asesinatos y el suicidio casi simultáneos no cabían en él. Amaba la vida y no le temía a la muerte, doblemente asentado en la existencia.

A mi ánimo inquisitorial respondió Fernando Ventura, su emoción largamente trabajada:

—La muerte de mi padre parece haber sido como se dice que fue. Aprendí de él que hay que remitirse a los hechos, a las pruebas. No se pudo probar otra cosa. Podemos sospechar, pero la versión que se dio fue la que se pudo probar.

—Y Orozco, el amigo, ¿por qué huyó?

—Mi padre, enfurecido, provocaba terror.

—Cuénteme de él —pedí a don Fernando.

—Cuando mi mamá murió, quedó devastado. No lo decía, pero sabíamos en la casa que así era, grande su desaliento. Mi mamá falleció a los cincuenta y siete años, los mismos de mi papá. Creo que jamás superó esa muerte. Sin embargo, buscó compañía y se embarcó en una segunda relación con María Cira. Ella quería la fiesta, lucirse con él. Él la justificaba por su edad hasta que llegó el momento en que ya no se aguantaron. Cira era demasiado ofensiva, hasta lépera en ocasiones. No sé qué sucedería el día en que murieron, qué le diría ella para sacarlo de quicio. Ocurre así con las personas muy contenidas. El día que explotan, truenan de verdad.

Observo a don Fernando. Algo se ha removido en él. Nada imagino. Tampoco indago.

—Soy armero —empieza y enseguida se sume en un silencio íntimo que él mismo interrumpe. Hay palabras que siembran luto—:

"Yo limpiaba su pistola, pendiente de que no se le fuera a incrustar alguna pelusilla que pudiera entorpecer su funcionamiento".

Ventura Moussong sigue en el pasado.

—No olvido —dice— el día en que vi a mi papá como escolta del general De Gaulle. Se mantuvo inmediatamente atrás de él y el zócalo enfrente, lleno.

Corto los tiempos de don Fernando, abrupto:

—No le pido que me hable de Genaro García Luna, ¿para qué? Sé que él mismo se ha ido construyendo una imagen. Pero ¿qué refleja el secretario de Seguridad Pública?

—En un momento dado el sistema tiene que compensar sus fallas y recurrir a las sustituciones para enmendar los errores acumulados. Es frecuente que, a mayor inseguridad, nos hagamos de más elementos, más patrullas, más pistolas. ¿Acaso así vamos a solucionar el problema inmenso que enfrentamos?

Sigue:

"Habíamos tenido un desarrollo muy parcial en el equipamiento, en capacitación y en el fortalecimiento de las instituciones. Habíamos inyectado dinero, pero no resolvíamos los problemas de educación de sus propios elementos policiacos. Debemos adiestrar un número mayor de personas con técnicas modernas. En la actualidad no existe un procedimiento mediante el cual el agente que entra hoy a servicio, dentro de treinta años pudiera ser el director de la policía, así haya tenido un excelente desarrollo profesional y una conducta intachable. García Luna sólo refleja la necesidad del Estado de controlar a la delincuencia".

—¿Cumple?

—Hay más patrullas, pero nos siguen robando. El trabajo no consiste sólo en prevenir la inseguridad, sino en revertirla. Y no es problema de un año sino de un sexenio y medio, diez años, quizá. Pero para lograrlo hay que ir cambiando las estructuras de manera inteligente. Sin buenos mandos medios, el esfuerzo que se emprende de nada sirve. Dicen que van a correr a los malos elementos y a traer gente nueva, sin presencia, por tanto. ¿Podrán estos nuevos elementos con tamaña responsabilidad? ¿Sabrán qué hacer? El policía que tiene quince años en el servicio ya conoce a la institución, a la delincuencia. ¿Podrán dirigirlo hombres de refresco, noveles? Ése es el desfase. Ya han corrido a diez mil, a quince mil, a veinte mil policías. ¿Se ha mejorado algo?

Catedrático de la UNAM especializado en el tema del narcotráfico, instructor de policías en el Distrito Federal y de uniforme virtual desde el día de su nacimiento, Ventura Moussong abre una rendija en su experiencia como profesor:

"¿De dónde se recluta a los policías? De la sociedad, obviamente. Pero aquellos que cuentan con secundaria la tienen a nivel de primaria y los que tienen preparatoria la expresan a nivel de secundaria. Así es nuestro sistema educativo, muy pobre. En estas condiciones, tan bajos los niveles de preparación de los policías, ¿qué podría esperarse de ellos? ¿Qué podría pedirles la sociedad?"

Le pregunto por la batalla contra el narco, su punto de vista acerca del tema ineludible.

—Hay que seguir trabajando.

—¿Qué más?

—Hay que golpear a los narcos, contenerlos.

No obstante, en una visión de futuro afirma que el Ejército podría quedarse donde está:

"Es la suya una estampa muy firme, una presencia real, poderosa. Pero habría que decidirse por una policía altamente capacitada que enfrentara a la delincuencia organizada con técnicas que vayan más allá de los narcos. Esta élite podría estar formada por oficiales preparados con tiempo e impecables en sus antecedentes personales en el servicio. Hablo de comandantes verdaderos, de una nueva generación".

Juan Camilo Mouriño

Desde el 4 de enero de 2006, lanzadas las Fuerzas Armadas contra el crimen organizado, la muerte se abrió paso en la vida cotidiana del país. Desde entonces, han sido excepcionales los días con la bandera blanca en alto como símbolo de una jornada en paz.

El propio Felipe Calderón supo del duelo personal en Juan Camilo Mouriño. Su amigo entrañable y colaborador más cercano, pereció el 8 de noviembre de 2008 como resultado de una política irresponsable por cuenta del gobierno que ha llevado a la aviación civil al estado de postración en el que actualmente se encuentra.

En relación con el funesto 8 de noviembre, la legislación internacional dispone que cualquier tragedia ha de ser investigada hasta desentrañar las causas que la provocaron. No hay distingos. El criterio no varía así se trate de un aeroplano que se precipite al mar con un pasajero solitario o de una nave que estalla en el espacio inmenso.

Sobre el particular, sostienen los organismos mundiales que la seguridad aérea ha de preservarse con rigor militar. En el caso de México, el camino emprendido no ha ido en esa ruta.

Para dar cuenta de su investigación, la Dirección General de Aeronáutica Civil, dependiente de la Secretaría de Comunicaciones y Transportes, solicitó formalmente a los Estados Unidos que se trasladaran a nuestro país técnicos de la Agencia Federal de Aviación (FAA, por sus siglas en inglés) y de la Junta Federal de Seguridad en el Transporte (NTSB, por sus siglas en inglés). En línea paralela, la Organización de Aviación Civil Internacional (OACI) auditó el sistema de transporte aéreo en aquellos puntos que pudieran tener relación con el suceso atroz.

La Comisión Investigadora y Dictaminadora de Accidentes de Aviación fundamentó como la causa más cercana a la tragedia (todos murieron, no habría manera de contar con una voz definitiva) "la pérdida de control a baja altura y el posterior impacto de la aeronave con el terreno por encuentro con turbulencia de estela producida por la aeronave que le precedía".

No hay equívocos en la investigación emprendida al más alto nivel: Mouriño murió por fallas del propio régimen al que perteneció. Ahí se generó y culminó la tragedia.

En cuanto a las causas del desastre, los peritos enlistaron causas y procedimientos plagados de errores técnicos y torpezas humanas. Ésta es una síntesis del veredicto:

• Asignación irresponsable de contratos en lo que toca a prestación de servicios aéreos:

Faltó monitoreo de estándares de seguridad tanto por parte de la Dirección General de Aeronáutica Civil como de la Secretaría de Gobernación. Subraya el análisis que la aeronave asignada a Juan Camilo Mouriño, un Learjet 45, fue operada por el Centro de Servicios de Aviación Ejecutiva S.A. de C.V., sin la supervisión debida. También hizo notar la insuficiente vigilancia de la propia empresa al prestador de servicios de mantenimiento y operación.

• Licencias de los pilotos:

Hubo deficiencias en el proceso que llevó, tanto al piloto como al copiloto, a la obtención irregular de los certificados en el proceso de capacitación de la aeronave. En el cumplimiento de este inciso, el punto siguiente señala la capacitación insuficiente de la tripulación en el Learjet 45.

En los reportes de Flight Safety (Seguridad Aérea), la capacitación del piloto al mando de la nave dejó establecido que, durante su adiestramiento, el comandante no tuvo el conocimiento extremo que exigen los sistemas de navegación, ni contaba con la pericia en grado de excelencia que demandan el pilotaje y control de ese tipo de aeronave. Ni el piloto ni el copiloto contaban con el adiestramiento sometido a las pruebas más severas que son indispensables para volar un Learjet. El reporte de Flight Safety se llevó a cabo en ocasión de un adiestramiento periódico. En esa etapa se supone que el tripulante posee los conocimientos básicos para cumplir con su trabajo. No fue el caso. De las once sesiones requeridas para un adiestramiento satisfactorio, sólo participaron en dos.

• Procedimientos desapegados de la normatividad:

Sobresale la insuficiente distancia que se dio entre las dos aeronaves involucradas en la tragedia, el Learjet matrícula XC-VCM y el Boeing 767-300 matrícula XA-MXE, de Mexicana de Aviación.

La distancia entre los aviones, de acuerdo con la normatividad que corresponde, debía ser mayor de cinco millas náuticas. Aquí se trataba sólo de 3.8 millas, circunstancia que se complicó con el diseño de los procedimientos de aproximación final en la zona del Valle de México hacia el aeropuerto Benito Juárez. Estos procedimientos se habían modificado seis meses antes con el propósito de ampliar la capacidad de recepción de las aeronaves en tierra.

También pudo citarse la falla de parte del control aéreo en lo que tocaba a la emisión de medidas correctivas, visto el peligroso acercamiento entre las aeronaves. Tampoco fue prevenido el piloto del Learjet acerca de que el avión que llevaba la delantera era pesado. La combinación de estos factores provocó que la aeronave de Mouriño, al aproximarse al Boeing, se viera envuelta en la llamada "turbulencia de estela", fenómeno común en numerosos accidentes fatales.

El *jet* se mantuvo en una posición vulnerable respecto a la "turbulencia de estela". Volaba, pues, por debajo de la altitud correcta y a baja velocidad, muy cerca de la estela y en condiciones atmosféricas estables.

Si se tratara de ilustrar con sencillez el evento mortal, podría afirmarse que, salvando las distancias que separaban a los aeroplanos en la ruta estimada, habría sido como si en una autopista se permitiera una velocidad mayor a la indicada y, a unos metros de la meta, se redujeran los carriles a sólo dos de los varios que tenía la avenida virtual. La tragedia resultaría inevitable. El espacio sería para una sola nave, la pesada, la que llevaba la delantera, la privilegiada.

* Incumplimiento de recomendaciones de la OACI:

La capacidad del Aeropuerto Internacional de la Ciudad de México (AICM) debió ser restringida hacía ya tiempo. Se dejó ir un tiempo valioso sin el acatamiento según la recomendación de la OACI, que le fue formulada el 15 de diciembre del mismo 2008. Esta exigencia fue resultado de la auditoría de seguridad realizada entre el 18 de noviembre y el 15 de diciembre de 2008.

* Omisiones en algunas recomendaciones y estándares por parte del controlador de tránsito aéreo en lo que toca al servicio de aproximación radar en México.

Las fallas del personal de Servicio a la Navegación en el Espacio Aéreo Mexicano (Seneam) en lo que corresponde al control de tránsito, consistieron en la falta de precaución respecto a los males mayores que se gestaban. Fue así como no fueron atendidos adecuadamente el proceso del vuelo a fin de mantener la indispensable distancia entre dos naves tan desiguales como el Learjet y el Boeing.

El análisis de los técnicos dejó establecido que, en las condiciones adversas que se presentaron, también contaron la fatiga y el exceso de trabajo de los empleados del Seneam, esto es, horas extras, falta de supervisión y ausencia de un adiestramiento recurrente que, como norma, debe existir entre los controladores aéreos.

◆ Presión corporativa:

El sindicato de controladores aéreos había remitido cartas de protesta por el diseño de los nuevos procedimientos de aproximación a las pistas del AICM. Estos procedimientos, y el enorme volumen de tráfico en las horas pico, hicieron que pareciera como normal la separación de las naves a distancias menores que las recomendadas por razones de seguridad.

Desde la inauguración de la Terminal 2 del aeropuerto Benito Juárez fue patente la presión sobre los controladores con el propósito de hacer llegar un número mayor de aviones de los que se podían distribuir de manera expedita en tierra. Ésta fue una de las recomendaciones de la OACI y la auditoría de diciembre de 2008. Mantener el rigor en los vuelos y en los espacios en tierra.

Además de lo anterior y como una política de recortes a los gastos en la terminal, se había prescindido de personal que hacía falta. La consecuencia resultó inevitable: el exceso de trabajo de los controladores y su consiguiente fatiga.

◆ Otorgamiento de capacidades de vuelo, problemas administrativos y probable corrupción:

Técnicos en la materia estiman que el máximo número de operaciones que podría soportar el AICM no debía exceder a las trescientas mil por año. Esto significaba que el número de operaciones no debía ir más allá de las sesenta por hora. En tiempos anteriores a la suspensión operativa de Mexicana de Aviación y en la fecha de la tragedia del Learjet 45, el promedio de operaciones anuales fue superior a las sesenta por hora.

Los requerimientos de pago derivados de la deuda contraída por el Grupo Aeroportuario de la Ciudad de México, después de la construcción de la Terminal 2, que pasó de un presupuesto inicial de casi cuatrocientos millones de dólares a una cifra cercana al triple, determinaron el aumento de las operaciones y el movimiento de pasajeros, para obtener de esta manera un flujo mayor en caja. Resultaba claro que la capacidad de pista y el espacio aéreo consecuente no podían ampliarse sin el riesgo correspondiente para el personal de las aerolíneas, los pasajeros y las instalaciones del aeropuerto Benito Juárez.

Asimismo, de acuerdo con el reglamento que rige el tránsito aéreo, un avión como el Learjet 45 debe iniciar el vuelo y aterrizar en el aeropuerto de Toluca. Las características de la nave así lo indican: tamaño, peso, capacidad de desplazamiento.

A Mouriño, sin embargo, todo le era facilitado en su calidad de virtual vicepresidente de México. A él le estaba permitido aterrizar y despegar del aeropuerto Benito Juárez sin la consideración del tipo de avión en que viajara, en este caso, el relativamente pequeño Learjet 45. Las órdenes pertinentes para los vuelos de Mouriño correspondía dictarlas a la Secretaría de Gobernación.

¿Qué ocurrió en el interior del Learjet 45 en la cercanía de la colisión fatal? ¿Algún instante inescrutable en el encuentro con la muerte? O, acaso, ¿una indicación funesta?

Cecilia Romero

No hay herida sin sangre y en la violencia que envuelve al país resultaría imposible ocultar a los muertos. Detrás de cada víctima hay un nombre, un apellido, una historia, pero llegará el día del rendimiento de cuentas por parte de quienes, de una forma u otra, se vieron envueltos en la tragedia que no cesa.

No habría manera de hacer a un lado a Cecilia Romero, comisionada nacional de Migración, de la matanza de setenta y dos indocumentados ocurrida en el poblado de San Fernando, Tamaulipas, el 24 de agosto de 2010. Tampoco habría manera de apartarla del largo tiempo en que se ha dado y se sigue dando la concentración inhumana de multitud de hombres, mujeres y niños sin papeles y desesperados por llegar a los Estados Unidos de paso por México. En la biografía de la señora están ya escritas las líneas que la asocian con *La Bestia*, el ferrocarril con sus carros para ganado que transporta en su aventura atroz a guatemaltecos, hondureños, ecuatorianos, salvadoreños, brasileños, más de doscientos mil anuales por todos.

La tragedia data de muchos años, sin que la señora Romero hubiera dado cuenta de la magnitud del problema en la frontera sur bajo su custodia. No hubo de su parte una llamada de auxilio que mitigara el horror o la voluntaria separación del cargo. Al menos, no se han dado a conocer testimonios fehacientes al respecto.

En las circunstancias dadas, insostenible en la dirección del Instituto Nacional de Migración (INM), Romero anunció que contendería por la presidencia de Acción Nacional. Poco antes exaltó sus méritos por el buen desempeño que había tenido al frente de esa dependencia. Llegó a decir:

> Aspiro a ser recordada como la funcionaria que, en conjunto con el equipo de trabajo del INM y con el apoyo de la Secretaría de Gobernación, concretó la posibilidad de que hubiera un sistema electrónico que permitiera a los cónsules en cualquier rincón del mundo revisar el estatus migratorio de la persona que está solicitando su ingreso al país.

Dijo también, inolvidable:

"[En el instituto] no hay policías migratorios, no hay pistolas."

Más allá de su biografía e inevitablemente asociada Cecilia Romero con la barbarie en nuestra frontera sur, el 8 de diciembre de 2010 fue designada secretaria general del PAN a propuesta del nuevo líder blanquiazul, Gustavo Madero. La designación fue clamorosa. Todos con el brazo en alto, unánime su decisión.

Como la gota incesante que se extiende por sí misma, así crece la presencia de los menores de edad en la violencia que asola extensas regiones del país. Niños y jóvenes irrumpen sin remedio en el escenario que parecía reservado a hombres curtidos en la violencia y el crimen. Es el caso, también, de la desguarnecida frontera sur.

El 26 de octubre de 2010, el propio presidente informó que contingentes de la Secretaría de Marina habían capturado a dos menores involucrados en la matazón de setenta y dos personas en el poblado de San Fernando, Tamaulipas. Sin alivio en la zozobra que arroja la campaña contra el narco, dijo el Ejecutivo, distantes sus palabras de la realidad cotidiana:

> Estamos trabajando para que la droga no llegue a los niños y a los jóvenes, pero también estamos generando espacio para que los niños y jóvenes puedan tener más oportunidades de una vida ordenada y sana, como todos los padres de familia la queremos para los nuestros.

Isaac Contreras Sánchez

El Chito vendía paletas heladas que voceaba con la menguada fuerza de sus pulmones infantiles. En la pequeña localidad de Chachapa, Puebla, donde nació y crecía, las monedas que ganaba iban en sintonía con el cielo azul o el cielo cargado de lluvia.

De aquí para allá, vivaracho, un día se le apareció un desconocido que, sin preámbulos, le ofreció trabajo en los términos más sencillos. Junto con otro jovencito, viajaría a los Estados Unidos en un tráiler que parecía ferrocarril. *El Chito* y su compañero deberían acompañar al chofer y cuidarlo, atentos a que se mantuviera despierto al volante.

Ya sobre la carretera, en el primero de los viajes, *El Chito* fue enterado del cargamento que el tráiler llevaba en el vientre. Se trataba de treinta y siete guatemaltecos anhelantes de trabajo en los Estados Unidos. En su país era imposible seguir viviendo, agónica la existencia.

En el tráiler, *El Chito* era feliz y de todo gozaba. El paisaje le parecía poco menos que un edén y contaba, jugando, las curvas, a derecha e izquierda, que la máquina iba devorando a su velocidad de vértigo. Locuaz, le platicaba a su compañero de un futuro que ya sentía en las manos. Sin compromiso con persona alguna, huérfano desde su origen, ahorraría dinero y con el tiempo se compraría un tráiler. De la carretera haría su hogar.

Un día de los que presagian el infierno, los guatemaltecos se alborotaron en su atiborrada cárcel clandestina. No les atosigaba el hambre, tampoco la sed. Se asfixiaban y ya se golpeaban entre ellos. El chofer se detuvo y dispuso que "la carga" tomara aire al pie del inmenso vehículo. "Sólo unos minutos", advirtió, minutos que para siempre sellarían la desgracia de *El Chito*.

La causa penal número TAF 10/2010 consideró responsable a Isaac Contreras Sánchez de tráfico de indocumentados. Vejado, golpeado, reo peligroso, fue enviado a un reformatorio. Ahí dentro fue sabiendo del peso y el calor humano que despiden las armas.

Una boda singular

La riqueza sin control y la miseria sin alivio son signos de un país con la brújula extraviada. En el punto extremo de la contradicción, alarma tanto la exuberancia de los pocos como las carencias de los muchos.

Frente a la realidad que puedo mirar y un pasado recurrente en la memoria, de vez en vez vuelvo a los tiempos de *Excélsior*, reportero con fuentes. Recuerdo entonces que entre las secciones del diario había una que no me gustaba. Se trataba de la sección de sociales, pendiente de nacimientos, bautizos, primeras comuniones, fiestas altruistas, la oratoria sagrada del padre Julio Vértiz en la iglesia de la Sagrada Familia, los banquetes y los bailes de los aristócratas o quienes se tenían por tales. La sección contaba con el cronista más famoso en su tiempo: *El Duque de Otranto**, como se hacía llamar Carlos González López Negrete.

* Título que originalmente le perteneció a Joseph Fouché (1759-1820), político francés que ejerció su poder durante la Revolución francesa y el Imperio napoleónico. Fundador del espionaje moderno, supongo que escuchaba hasta los susurros en las fiestas, corrido el vino, la intriga, la información.

El Duque, delgado, elegante, era protagonista de las ceremonias a las que concurría y comentaba en su propia columna: "Los trescientos y algunos más".

A "Los trescientos y algunos más" siguieron otros cronistas. Uno de ellos, inolvidable, fue Abel Quezada y la criatura de su invención, *Gastón Billetes*, lucidor con un enorme brillante en la punta de la nariz. En este trabajo específico, cronista satírico, Abel aludía a fortunas que se consolidaban y a muchas en gestación bajo la presidencia de un gran corruptor: Miguel Alemán.

Desde entonces había transcurrido largo tiempo sin un acontecimiento social de la relevancia del matrimonio de Carlos Slim Domit y María Elena Torruco, boda sin precedentes. Mil seiscientos treinta invitados participaron de la ceremonia religiosa, el banquete y el baile, mil seiscientos treinta invitados, ni uno más. Privilegiados, disfrutaron además del contorno hermoso de la plaza que lleva el nombre de un personaje único: Carlos Slim.

Auxiliado por las crónicas de los diarios y las fotografías de las revistas del corazón, me imaginé lo que habría sido la boda. Regresaron a la memoria, arbitrarias e inevitables, las reseñas que describieron hasta el detalle las fiestas de la corte de Versalles, ajenos María Antonieta y Luis XVI a la miseria que bullía amenazadora en el exterior. En los caprichos del recuerdo no podía pasarme por alto que esos saraos congregaban a parásitos y que la fiesta mexicana reunió, sin duda, a una multitud emprendedora y ajena al ocio vil.

De muchas maneras atraído por la boda, no me podía desprender de las imágenes que en mí suscitaba el acontecimiento. Leí que una señora se había adornado con esmeraldas blancas, que se fabrican en Brasil, según averigüé, y de ahí saltó la imaginación a una señora que lucía rubíes verdes y otra que mostraba esmeraldas con el ardor de un amarillo solar.

Qué sería todo aquello, cuánto costarían los vestidos trabajados a mano con seda virgen, los esmóquines con texturas suaves y dulces como la piel, los relojes de colección, los brillantes como botones en los trajes de los magnates y, en ellas, las señoras, los collares, los aretes, las pulseras, los anillos, las flores de invernadero sabiamente enredadas en el cabello.

No sólo sentí toda esa presencia, sino que vi a centenares de guaruras atentos a los movimientos y desplazamientos de los personajes a su cuidado. Sentí, también, la férrea escolta del presidente Calderón, cuerpo militar de élite.

Como si se tratara de un relámpago detenido en una larga luz, ese 9 de octubre de 2010 vi a una nueva clase que se expresaba poderosa. Se trataba de una sociedad consolidada, una aristocracia formada por los hombres y las mujeres sobresalientes en la política y la empresa, cada uno en su sitio. Discreparían por asuntos menores, pero se entenderían en lo sustancial, se apoyarían unos a otros, caminarían juntos, definitivamente rotos los vasos de comunicación con los de abajo.

Tomé una frase de Coetzee, el Nobel sudafricano: "El poder sólo se habla con el poder".

Índice onomástico

ÍNDICE

Historias de muerte y corrupción, de Julio Scherer García
se terminó de imprimir en febrero del 2011
en Litográfica Ingramex, S.A. de C.V.,
Centeno 162-1, Col. Granjas Esmeralda,
México, D.F., C.P. 09810